ENTRE NOUS

**COMPLEMENTARY WORKBOOK
FOR ENGLISH-SPEAKING
STUDENTS**

UNITÉ 1 / ENCHANTÉ !

LEXIQUE

GRAMMAIRE

PHONÉTIQUE

UNITÉ 2 / VOYAGE AUTOUR DU MONDE

LEXIQUE

GRAMMAIRE

PHONÉTIQUE

UNITÉ 3 / UNE VILLE, DES QUARTIERS

LEXIQUE

GRAMMAIRE

PHONÉTIQUE

UNITÉ 4 / UN PEU, BEAUCOUP, À LA FOLIE

LEXIQUE

GRAMMAIRE

PHONÉTIQUE

UNITÉ 5 / COMME D'HABITUDE

LEXIQUE

GRAMMAIRE

PHONÉTIQUE

UNITÉ 6 / TOUS ENSEMBLE

LEXIQUE

GRAMMAIRE

PHONÉTIQUE

LEXIQUE

1. **What should you say in each situation? Match the elements from the two columns.**

1. Your teacher is talking too fast and you really can't understand.

2. You don't understand the explanations.

3. You are not sure of the spelling.

4. You don't understand the meaning of a word/an expression.

5. You would like him/her to repeat what he/she just said.

6. You are not sure how to pronounce something.

a. Je ne comprends pas !

b. Vous pouvez répéter, s'il vous plaît ?

c. Comment ça se prononce ?

d. Vous pouvez parler plus lentement, s'il vous plaît ?

e. Qu'est-ce que ça veut dire ?

f. Comment ça s'écrit ?

2. **Fill in the dialogues with the following words.**

Au revoir - Bonjour - Salut, ça va ? - Bonne nuit - Bonsoir - Salut !

1............ Pierre !

2. ....

Oui, et toi ?

3............ , Monsieur !

4. ....

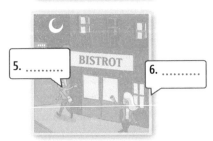

5. ....

6. ....

> **GREETINGS & GOOD-BYES**
>
> - **Bonjour** means *hello* or *good morning*.
> - After 5 p.m. you say **bonsoir**. It means *good evening*.
>   - ! You say **bonne nuit** only when you go to bed.
> - **Au revoir** is used to say *bye* or *goodbye*.
> - **Salut** is used to say *hi* but also to say *bye*. It is informal.
>   *Salut, tu vas bien ?* (= Hi, how are you?)
>   *Salut, à demain !* (= Bye, see you tomorrow!)

TU OR VOUS?

There are two different ways of addressing a person in French: **tu** or **vous**.
- **Tu** is used to address one person: someone you know very well (family/friend) or a child.
- **Vous** is used to address one person to whom you want to show respect (older people, a person you meet for the first time, some colleagues, etc.) but it is also used to address more than one person.

3. Fill in the dialogues according to the context.

4. (habiter) .... Paris ?

1. • Salut !
(étudier) ....
le français ?
○ Oui, j'adore.

5. Les filles, (préférer) .... aller au cinéma ou faire les boutiques ?

2. Pour cet exercice, (travailler)
....
par groupe.

6. • (étudier) .... l'architecture ?
○ Oui, monsieur, à Lyon.

3. Monsieur Martin, (aimer) ....
le cinéma ?

7. • Je ne comprends pas, (parler) .... le français ?
○ Non.

4. Complete the additions and write the numbers in words.

1. 4 (quatre) + 10 = 14 quatorze
2. 1 (............) + 10 = ...
3. 6 (............) + 10 = ...
4. 10 (............) + 10 = ...
5. 3 (............) + 10 = ...
6. 2 (............) + 10 = ...
7. 5 (............) + 10 = ...

NUMBERS FROM 0 TO 20

- In French, numbers up to 16 all have their unique name: *un*, *deux*... *neuf, dix, onze, douze, treize*... *quinze.*
- After 16, you combine numbers:
10 *(dix)* + 7 *(sept)* = 17 *(dix-sept)*
dix-sept, dix-huit, dix-neuf...

GRAMMAIRE

SUBJECT PRONOUNS	
FRENCH	**ENGLISH**
je / j'	*I*
tu	*you* (singular)
il	*he*
elle	*she*
on	*one / we*
nous	*we*
vous	*you* (plural / singular = formal)
ils	*they* (masculine / masculine + feminine)
elles	*they* (feminine)

! When talking about a mixed gender group, use **ils**.
Sarah et Pierre ? Oui, **ils** *étudient l'anglais.*
(= Sarah and Pierre ? Yes, they study English.)

! **Je** becomes **j'** in front of a vowel or a silent *h*.
*je visite   j'**a**ime   j'**h**abite*

5. Which personal pronouns would you use...

1. to talk about a woman? ....
2. to talk about a boy? ....
3. to talk about yourself? ....
4. to address a few people? ....
5. to talk about yourself and your friends? ....

6. Complete the dialogues with the correct subject pronoun.

1. • Pierre aime le théâtre ?
   ◦ Oui, ... aime le théâtre.

2. • Michel et Rémi aiment les croissants ?
   ◦ Oui, ... adorent !

3. • Caroline habite à Londres ?
   ◦ Non, ... habite à Berlin.

4. • Adrien et Mathilde étudient l'architecture ?
   ◦ Non, ... étudient l'histoire.

5. • Vous travaillez en France ?
   ◦ Non, ... travaillons au Royaume-Uni.

7. Barbara is talking about herself. Fill in the text with the correct pronoun: *je* or *j'*.

Bonjour ! .... m'appelle Barbara.
.... habite à Sᵗ Malo, mais .... travaille à Rennes. ....
parle français et .... étudie l'anglais. .... aime la
musique pop, mais .... écoute aussi de la musique
classique. .... adore le sport !

8. Can you find the infinitive form of the verbs in exercise 7?

....

....

9. **Fill in the blanks with the correct verb forms.**

habiter - aimer - travailler - s'appeler - regarder - étudier - visiter - parler

1. J' .... l'anglais à l'université d'Oxford.

2. • Ils .... à Nantes ?
○ Non, à Angers.

3. • Tu .... l'anglais et le français ?
○ Oui, et l'allemand aussi !

4. • Pourquoi étudiez-vous l'anglais ?
○ Parce que je .... à Londres comme architecte.

5. • Tu .... le chocolat ?
○ J'adore !!

6. Tu .... le match de rugby ce soir ?

7. • Comment vous .... ?
○ Pierre et Lucie Thomas.

8. Aujourd'hui, nous .... la tour Eiffel et le Louvre.

10. **Listen and complete the verb _s'appeler_ with _l_ or _ll_.**

ISTE 1

1. Je suis votre prof de français et je m'appe....e Anne.

2. Nous nous appe....ons Paul et Baptiste et nous travaillons dans un restaurant.

3. Salut, moi, c'est Sophie et toi, comment tu t'appe....es ?

4. • Comment vous vous appe....ez ?
○ Georges, et je suis étudiant.

5. • Elles s'appe....ent Alice et Johanna ?
○ Non, elles s'appe....ent Jade et Marion.

6. Nous nous appe....ons Patrick et Jean.

> **_L_ OR _LL_?**
>
> When the last **e** of **appeler** is silent write **ll**. Otherwise write **l**.
>
> **!** Trick: Remember the word **pelle**.

DEFINITE ARTICLE

In French, nouns have a gender: they are either masculine or feminine. Therefore, definite articles (**_the_** in English) vary according to the gender (masculine or feminine) and the number (singular or plural) of the nouns that follow.

*Je visite **la** ville de Paris.* (= I am visiting the city of Paris.)
*Ils aiment **le** soleil.* (= They like the sun.)
***L'**auteur de ce livre est beau.* (= The author of this book is handsome.)
***Les** élèves sont contents.* (= The students are happy.)

! In front of a vowel or a silent *h*, the article **le** becomes **l'**.

11. **Classify the following words according to the definite article.**

théâtre - croissants - boulangerie - église - match - hôpital - pâtisserie - bistrot - fromage - restaurants

LE	LA	L'	LES

12. Fill in the blanks with the correct definite article *le, la, l'* or *les.*

> **Et vous, qu'est-ce que vous aimez ?**
>
> **Alice** 28 ans
> Moi, j'adore .... langues !! Je parle français, anglais et italien et j'apprends .... chinois.
>
> **Charles** 21 ans
> J'adore .... sport ! .... football, ... rugby.
> Le week-end, je regarde .... matchs avec mes amis.
>
> **Lucy** 29 ans
> Je suis américaine et j'habite à Paris.
> Mes passions sont .... mode et .... shopping.
> Alors, je fais .... boutiques toute la journée !
>
> **Jeff** 23 ans
> J'étudie .... architecture à .... université Paris IV.
> J'aime beaucoup me promener dans .... ville pour observer et étudier .... monuments. Mes bâtiments préférés sont .... cathédrale Notre-Dame de Paris et .... Opéra Garnier.

13. Translate the following sentences into French.

1. I like classical music. ....

2. Pierre likes museums. ....

3. Helen likes football. ....

4. They like sport. ....

14. Fill in the dialogues with the correct tonic pronouns: *moi, toi, lui, elle, nous, vous, eux* or *elles.*

1. • J'adore la musique classique, et .... ?　　○ Non, ..., je n'aime pas. Je préfère le rock.

2. • Comment vous vous appelez ?　　○ ...., je m'appelle Hélène et ...., il s'appelle Olivier.

3. • Vous allez à la fête de Cathy ?　　○ Non, et .... ?

4. • Claire et Martha étudient avec toi à Paris ?　　○ Non, ..., elles étudient à Lille.

5. • C'est la professeure de français ?　　○ Non, ..., c'est la directrice de l'école.

15. Read the example then tick the correct answers.

> *Adam, tu aimes la France, toi ? Moi, j'adore Paris !* (= Adam, do you like France? I love Paris!)
>
> *Vous, vous habitez à Montréal et nous, nous habitons à Québec.* (= You live in Montreal and we live in Quebec.)
>
> *– David et Léa, vous habitez en Espagne ? – Moi, oui... mais lui, non. David habite en Italie, lui.*
> (= "David and Lea, do you live in Spain?" "I do... but he doesn't. He lives in Italy.")
>
> • In French and in English, the personal subject pronouns are always used with the verbs. ☐ True ☐ False
> • In French, you add a second pronoun to put the emphasis on a particular person. ☐ True ☐ False
> • Those pronouns are called "tonic pronouns" or "stressed pronouns". ☐ True ☐ False

16. Answer these questions using a tonic pronoun.

1. Tu aimes les voyages, toi ? ....

2. Et lui ? Il travaille à Bordeaux ? Non, ...

3. Vous parlez italien ? Oui, ...

4. Elle étudie le français ? Oui, ...

PHONÉTIQUE

17. Listen and answer the questions.

PISTE 2

hôtel - horizon - Hélène - handball

- Can you hear the **h**? yes - no

culture - concert - cinéma - carte - cent

- How is the **c** pronounced in front of **a** - **o** - **u**? [k] - [s]
- How is the **c** pronounced in front of **e** - **i**? [k] - [s]

original - gare - fromage - guitare - gomme

- How is the **g** pronounced in front of **a** - **o** - **u**? [g] - [j]
- How is the **g** pronounced in front of **e** - **i**? [g] - [j]

18. Listen and cross out the letters that you cannot hear.

PISTE 3

concert	français	festival
restaurant	bistrot	Paris
hôtel	bar	monument

19. Listen and observe. Then complete the rules.

PISTE 4

ils parlent	les églises	elles aiment
ils écoutent	les hôtels	vous étudiez
je visite	un musée	les films

- In French, when a plural noun begins with a vowel or a silent *h*, we do the "liaison".
  ☐ True ☐ False
- In French, when a verb begins with a vowel or a silent *h*, it is linked with its personal pronoun.
  ☐ True ☐ False

20. Listen to the following verbs and indicate in the chart below if you hear singular or plural form. Then complete the rule.

PISTE 5

	SINGULAR	PLURAL
1.		
2.		
3.		
4.		
5.		
6.		

When a verb begins with a vowel or a silent *h*, it is possible to distinguish the third person of the singular (*il/elle*) from the third person of the plural (*ils/elles*) because of:
☐ the *liaison* ☐ the ending

21. Listen and write the number in letters.

PISTE 6

1. ....
2. ....
3. ....
4. ....
5. ....
6. ....
7. ....
8. ....
9. ....
10. ....

LEXIQUE

PROFESSIONS

In French, each profession must correspond in gender (masculine or feminine) with the person it describes.

THE MASCULINE FORM ENDS WITH…	THE FEMININE…	EXAMPLE
-*e*	is the same	*un photographe* → *une photographe*
a vowel / a consonant	ends with an -*e*	*un avocat* → *une avocate*
-*ier*	ends with -*ière*	*un infirmier* → *une infirmière*
-*eur*	ends with -*euse* or -*trice*	*un chanteur* → *une chanteuse* *un acteur* → *une actrice*
-*ien*	ends with -*ienne*	*un musicien* → *une musicienne*

 Some professions don't have a feminine form. For example: *médecin, pompier*…
Some professions ending with -*eur* end with an -*e*. For example: *un professeur* → *une professeure*.

1. **Fill in the blanks with the appropriate profession. Be careful with the noun gender!**

1. • Léa est professeure ?
○ Non, elle ....
• Et Paul ?
○ Il est .... aussi.

2. Robin est ....
dans un restaurant à
Paris et Elsa est
.... dans
un restaurant à Lyon.

3. • Carla
est ....?
○ Oui ! Et Olivier
est ....
Ils ont gagné un
Oscar !

 Did you notice?
In French, there is no indefinite article in front of your job name.
Rémi est médecin.
(= Rémi is **a** doctor.)

2. **How old are these persons? Write their age in words.**

Madeleine a trente ans.

1. Georges : âge de Madeleine x deux ....
2. Pierre : âge de Madeleine + trois ....
3. Luc : âge de Madeleine + vingt et un ....
4. Léa : âge de Madeleine + cinquante et un ....
5. Virginie : âge de Madeleine – dix-sept ....
6. Olivier : âge de Madeleine – neuf ....

NUMBERS

Tens and units are joined with a hyphen: **vingt-deux, trente-cinq, quarante-deux**…
But if the unit is a 1, then the word **et** is inserted between tens and units: **vingt et un, trente et un**…
Except for: 81 **quatre-vingt-un** and 91 **quatre-vingt-onze**

 For 70 and 90, add 11, 12, 13 instead of 1, 2, 3
74: **soixante-quatorze**, 75: **soixante-quinze**…
92: **quatre-vingt-douze**, 93: **quatre-vingt-treize**…

3. Complete the chart below with: *-ais/aise, -ois/oise, -ain/aine, -ien/ienne*.

MASCULIN	FÉMININ
franç	franç
améric	améric
chin	chin
austral	austral
japon	japon
sénégal	sénégal
mexic	mexic
holland	holland

NATIONALITY

French adjectives that refer to nationalities are not capitalised, but proper nouns are.

Virginie est française. (= Virginie is French.)
Les Français sont polis. (= French people are polite.)

 Remember adjectives always have to agree in gender and number with the noun they describe.

4. Say which country they are from and give the corresponding nationality.

Italie - Sénégal - États-Unis - Belgique - Canada - Australie - Irlande - Suisse

1. U2 est un groupe de rock ....
2. Sofia Coppola est une réalisatrice ....
3. La fondue est un plat ....
4. La pizza est ....

5. La Leffe est une bière ....
6. Céline Dion est une chanteuse ....
7. Youssou N'Dour est un chanteur ....
8. Nicole Kidman est une actrice ....

GRAMMAIRE

QUEL, QUELLE, QUELS, QUELLES

The French interrogative adjective **quel** can be translated by ***which*** or ***what*** in English.
Quel is a question word that works like an adjective and agrees with the noun that follows.

Quel est votre sport préféré ? (= What is your favourite sport?)
Quelle est votre langue préférée ? (= What is your favorite language?)
Quels sont vos prénoms préférés ? (= What are your favorite names?)
Quelles sont vos photos préférées ? (= Which are your favourite pictures?)

5. Find the questions. Use *quel, quelle, quels* or *quelles*.

1. • ....? ○ Mon film préféré, c'est *La vie en rose*.
2. • ....? ○ J'aime les villes de Paris et de Nantes.
3. • ....? ○ Je suis cuisinier.
4. • ....? ○ J'ai 25 ans.
5. • ....? ○ Mes prénoms préférés sont Léa et Théo.
6. • ....? ○ Je parle anglais et russe.

GRAMMAIRE

In French the possessive adjectives vary according to the gender and number of the noun that follows.

SINGULAR			PLURIEL	MEANING
MASCULINE	FEMININE	BEFORE A VOWEL OR A SILENT H	MASCULINE/FEMININE	
mon	ma	mon	mes	*my*
ton	ta	ton	tes	*your*
son	sa	son	ses	*his / her / its*
	notre		nos	*our*
	votre		vos	*your*
	leur		leurs	*their*

Note than in French a noun in a list must have its own possessive adjective, even if the possessors are the same.
Où sont mon cahier et ma gomme ? (= Where are my notebook and eraser?)

6. **Look at the sentences and find out the rule.**

1. Son père est médecin.
2. Tu connais **sa** sœur ?
3. Mon amie est belge.

4. Paul et Sam habitent ici. C'est **leur** maison.
5. Leurs enfants sont adultes.
6. Ce sont **ses** amis d'enfance.

- If the noun that follows the adjective possessive is masculine singular, you use: ...., ..., ...
- If the noun that follows the adjective possessive is feminine singular, you use: ...., ..., ...
- If the noun that follows start with a vowel or a silent **h**, you use: ...., ..., ...
- If a thing belongs to many persons, you use: ☐ ses ☐ leur ☐ leurs
- If many things belong to different persons, you use: ☐ ses ☐ leur ☐ leurs
- If many things belong to one person, you use: ☐ ses ☐ leur ☐ leurs

7. **Fill in the blanks with the correct possessive adjective.**

1. Les parents de Noah et Emma habitent en Australie. → .... parents habitent à Melbourne.
2. La voiture de Paul est allemande. → .... voiture est une Wolkswagen.
3. Elle étudie dans une université américaine. → .... université est à Boston.
4. Nous avons un fils. → .... fils étudie à l'étranger.
5. Je vais voir des amis en Suisse. →.. maison est incroyable, avec une piscine.
6. Vous travaillez dans l'informatique ? → .... entreprise est en Belgique.
7. Je connais les amis de Léa. → .... amis sont très sympas.

8. Choose a possessive adjective for each sentence.

- Élise, quel est .... film préféré ?
- .... film préféré ? Euh... C'est... *Léon* !

- M. Jallet, ... collègues sont français et belges ?
- Oui et canadiens aussi.

- Tu aimes l'art, Claire ?
- Oui, j'adore l'art ! .... activité préférée est la sculpture.

- Lucas, quelle est .... ville préférée en Suisse ?
- Genève !

- .... amis ont un grand appartement ?
- Ah oui ! .... appartement est super grand ! .... amis habitent en Italie, mais nous habitons en France.

9. Read the text and underline the two parts of the negative form. Then tick the boxes below.

● ● ●

Je n'aime pas mon nouveau boulot. Mon patron n'est pas sympa. Il ne parle pas. Les autres employés ne rigolent pas et les clients ne sont pas polis ! Bref... ce n'est pas très intéressant. Un avantage : je n'habite pas loin.

The first part **ne** is placed:	The second part **pas** is placed:	**ne** becomes **n'**:
☐ in front of the verb.	☐ is front of the verb.	☐ in front of a vowel.
☐ straight after the verb.	☐ straight after the verb.	☐ in front of a vowel or a silent *h*.

10. Answer the questions by the negative.

1. • Vous êtes vétérinaire ?
  ○ Non, ..., je suis médecin !

2. • Il est marié ?
  ○ Non, ..., il est célibataire.

3. • Vous comprenez l'exercice ?
  ○ Non, ..., il est trop dur.

4. • Tu habites à Marseille ?
  ○ Non, ..., j'habite à Paris.

5. • Elles parlent espagnol ?
  ○ ...., mais anglais et français.

6. • Nous avons cours de maths aujourd'hui ?
  ○ Non, ..., nous avons cours de français.

11. *Avoir* or *être*? Circle the correct verb.

1. Cormac **a** / **est** irlandais. Il **a** / **est** 53 ans. Il habite à Galway et il **a** / **est** avocat. Il **a** / **est** marié et il **a** / **est** une fille, Ellen.

2. Nous **avons** / **sommes** étudiantes en architecture. Nous **avons** / **sommes** à Paris en échange Erasmus.

3. Isabelle et Nathalie **ont** / **sont** informaticiennes et elles **ont** / **sont** beaucoup de responsabilités dans leur travail.

4. Pour vous contacter... Vous **avez** / **êtes** une adresse en France ? Vous **avez** / **êtes** un numéro de téléphone ?

! Did you notice?

- To say your age in French you use the verb **avoir** (= to have) and the word **an(s)** (= years) always follows the number.
  Elle a 34 ans. (= She is 34.)

- When talking about feelings:
  avoir + noun
  J'ai peur ! (= I'm scared!)
  être + adjective
  Je suis contente. (= I'm happy.)

EXPRESSIONS OF PLACE

In French, the preposition used to talk about a country depends on its gender an not on the direction.

- **au** is used for any masculine country name.
- **en** is used for any feminine country and **aux** when the name of the country is plural.
  *Je suis **en** France.* (= I'm in France.)
  *Je vais **en** Turquie.* (= I'm going to Turkey.)
  *Je suis **aux** États-Unis.* (= I'm in the USA.)

The preposition **à** is used for any city name.

*J'habite **à** Paris.* (I live in Paris.)
*Je vais **à** Londres.* (I'm going to London.)

12. **Translate these sentences into French.**

1. I live in Sydney.

....

2. I love going to France.

....

3. We are in the USA.

....

4. They're going to San Francisco.

....

5. I work in Vancouver, in Canada.

....

6. I am going to Canada.

....

DEFINITE ARTICLE OR INDEFINITE ARTICLE

Definite articles are used to talk about someone or something in particular.
  *C'est **le** directeur de l'entreprise.* (= He is the manager of the company.)
  ***La** tour Eiffel.* (= The Eiffel Tower.)

! The definite article is also used in French to indicate the general sense of a noun.
  *J'aime **la** musique.* (= I love musique.)

Indefinite articles are used to talk about someone or something among a category, but not in a very specific way and/or that you mention for the first time.
  *Paris est **une** très grande ville.* (= Paris is a big city.)

13. **Fill in the blanks with *le, la, les* or *un, une, des*.**

1. .... activités préférées de Virginie et de Grégory sont .... musique et .... sport.
2. .... Québec est .... région francophone.
3. Tahar Ben Jelloun est .... écrivain marocain.
4. .... samba est .... danse brésilienne.
5. .... Thaïlande est .... pays du continent asiatique.
6. .... principales qualités du métier de photographe sont .... créativité et .... exigence.
7. Daft Punk est .... groupe de musique français.
8. Léa Seydoux est .... actrice très connue dans le monde entier.
9. J'aime .... théâtre et .... danse.

14. **Read the dialogue and tick the right answers.**

- Jean-Louis est diplomate.
- Ah... Et... Où travaille-t-il ? À Strasbourg ou à Bruxelles ?
- Non. En fait... il travaille pour l'ONU.
- Et où se trouve son bureau ?
- À Genève.
- Et où habite-t-il ?
- Quai du Mont-Blanc à Genève.

Où or **ou**?
- **ou** means : ☐ *where* ☐ *or*
- **où** means : ☐ *where* ☐ *or*

15. Fill in the blanks with *ou* or *où*.

1. .... est la voiture ?
2. Tu vas à Paris .... à Lyon ?

3. Je dois aller à la poste. Tu sais .... elle se trouve ?
4. .... travaille Jacques ? En Suède .... en Pologne ?

PHONÉTIQUE

16. Listen to these adjectives of nationality and answer these questions. Then, circle the correct answers.

PISTE 7

allemand / allemande   chinois / chinoise

russe / russe   espagnol / espagnole

anglais / anglaise   français / française

- Is there always a difference between the masculine and the feminine in the pronunciation of these adjectives?
  yes / no
- Is the *-e* at the end always silent?
  yes / no
- Can you hear the last consonant in the masculine form?
  yes / no
- Do you pronounce the last consonant when it is followed by the *-e* in the feminine form?
  yes / no
- Is the letter *-l* always pronounced at the end?
  yes / no

17. Read and listen to these adjectives of nationality and note the change in their spelling/pronunciation.

PISTE 8

américain / américaine   italien / italienne

péruvien / péruvienne   portoricain / portoricaine

- The masculine form *-ain* [ɛ̃] is pronounced differently than the feminine form *-aine* [ɛn].
  True or False?
- The masculine form *-ien* [iɛ̃] is pronounced differently than the feminine form *-ienne* [iɛn].
  True or False?

18. Listen to a list of nationalities and say if it is the feminine form, the masculine form or if it is both.

PISTE 9

....

19. Listen to these six sentences and say if you heard the verb *être* or the verb *avoir*.

PISTE 10

	ÊTRE	AVOIR
1.		
2.		
3.		
4.		
5.		
6.		

20. Listen to these sentences and circle the verb of each sentence.

PISTE 11

1. avoir / être
2. avoir / être
3. avoir / être
4. avoir / être
5. avoir / être

Les noms de famille les plus portés en France

1. Martin
2. Thomas
3. Petit
4. Robert
5. Richard
6. Durand
7. Dubois

adapté de genealogie.com

Une curiosité, Thomas est aussi un nom de famille très courant dans les pays anglo-saxons. À prononcer en français sans le « s ».

Les Français utilisent normalement un seul nom de famille, le plus souvent celui du père, mais ils peuvent avoir plusieurs prénoms. Depuis quelques années, les enfants peuvent porter le nom de famille de leurs deux parents.

Destins croisés

Samuel Beckett a écrit une grande partie de ses ouvrages en français. Il a enseigné l'anglais à Paris, puis a été assistant de français à Dublin en 1930. Il a vécu une grande partie de sa vie en France.

Ernest Hemingway a vécu en France pendant plusieurs années. Dans *Paris est une fête* (*A Moveable Feast*), il parle de son amour pour Paris, dont il célèbre des lieux devenus emblématiques : la rue Mouffetard, la rue Notre-Dame-des-Champs, les Deux Magots.

Paul Wenz est né à Reims. Presque inconnu en France, c'est un auteur très connu en Australie. Aujourd'hui, une rue porte son nom dans la ville de Reims.

Tatiana de Rosnay est une auteure franco-britannique. Elle traduit elle-même ses ouvrages en anglais et a connu un grand succès avec son livre *Elle s'appelait Sarah*.

Nancy Houston est née à Calgary au Canada et vit à Paris. Sa langue maternelle est l'anglais, mais elle écrit aussi en français.

Écrivains français

Le français est la deuxième langue la plus traduite à l'étranger. Parmi les auteurs qui ont du succès à l'étranger, on trouve Marc Lévy et Guillaume Musso, dont les romans se situent souvent aux États-Unis mais aussi Marie N'Dyane, qui a reçu le prix Goncourt pour *Trois femmes puissantes*, ou Yasmina Reza avec sa pièce de théâtre *Art*.

Et le rugby dans tout ça ?

En France, le rugby est un sport très populaire surtout dans la région du Sud-Ouest à Bayonne, à Toulouse... Mais il existe de grands clubs à Paris, Bordeaux ou Toulon. Dans le reste de la France, c'est plutôt le football qui est en tête. Le championnat de rugby s'appelle le Top 14. Certains joueurs français ont joué dans des clubs étrangers. Aujourd'hui, le championnat français (le Top 14) attire de grands joueurs comme Bryan Habana au RC Toulon, Dan Carter au Racing 92 ou encore John Ulugia à l'AMS Clermont-Auvergne.

Quelles zones géographiques attirent les Français ?

Les destinations que les Français préfèrent pour y vivre sont la Suisse, les États-Unis, le Royaume-Uni, la Belgique et l'Allemagne. Ces 5 pays accueillent 40 % des Français expatriés. Ensuite vient le Canada. L'Australie est en 14e position. Les Français expatriés vivent surtout dans les grandes villes.

(adapté de www.lepetitjournal.com)

Selon un sondage du *Figaro magazine*, auprès de futurs étudiants en master, les étudiants français préfèrent étudier aux États-Unis (57 %), au Royaume-Uni (51 %), au Canada (34 %) et en Australie (30 %).

(adapté de http://etudiant.lefigaro.fr/)

La France se trouve dans le Top 3 des destinations préférées des étudiants internationaux.

Answer the questions.

1. **Vrai ou faux ?**
   - Thomas est le nom de famille le plus courant en France. **VRAI / FAUX**
   - Ernest Hemingway a écrit en français. **VRAI / FAUX**
   - Paul Wenz est très connu en France. **VRAI / FAUX**
   - Les Français préfèrent vivre en Allemagne. **VRAI / FAUX**

2. Dans quelle région de France le rugby est-il un sport très populaire ?
   Dans le Sud-Ouest. ☐
   Dans le Nord. ☐
   Dans le Nord-Ouest. ☐

LEXIQUE

1. Classify the following words in the table.

gare - ~~bibliothèque~~ - parc - avenue - rue - place - musée - théâtre - cinéma - pharmacie
librairie - station de métro - jardin - monument historique - immeuble - magasins - hôpital

FEMININE WORDS	MASCULINE WORDS
la bibliothèque	

- **Choose three similar words in English.**

....
....
....
....
....

> **!** Je vais acheter un livre à la **librairie**. (= bookshop)
> Je vais à la **bibliothèque**. (= library)
> Je vais à la **pharmacie**. (= I'm going to chemist's.)
> Je suis en **fac de pharmacie**. (= I study pharmacy.)

2. Observe these sentences and answer the questions.

1. Je vais à la fac en métro.
2. Il y a un parc pour faire des balades à vélo.
3. On va au musée à pied.
4. J'aime découvrir la ville en bus touristique.

- **Inside.** What preposition precedes these means of transport? ....
- **Outside.** What preposition precedes these means of transport? ....

3. Look at the pictures. Are the sentences correct? Correct those which are not.

a. Ils sont près du quai.

b. Le bateau passe sous le pont.

c. L'hôtel est dans la plage.

d. Le Sacré-Cœur est sur le quartier Montmartre.

e. Ils sont près de la fontaine.

4. Fill in the blanks of these small ads with these prepositions: *à côté de, sur, à* (x 2), *en* (x 2), *près de, dans* (x 2).

Appartements à louer à Lausanne en Suisse

Joli studio
Quartier calme, joli studio avec vue .... le lac. Métro et bus à 20 mètres. Lac à 5 mn .... pied. .... l'office de tourisme.
★★★★ · 23 commentaires

Immeuble historique
Grand appartement .... un immeuble historique. À 10 minutes du lac. Idéal pour faire des balades .... bateau!
★★★★ · 15 commentaires

Centre ville
Chambre .... un petit appartement .... la gare. Le centre-ville est à 20 minutes .... bus ou .... vélo!
★★★★ · 19 commentaires

5. Match these adjectives with their contrary. Then use four in a sentence to talk about your city.

sympa   grand
moderne
inaccessible **ancien**
calme **bruyant**
petit accessible
désagréable
ensoleillé sombre

....
....
....
....
....
....
....
....

6. Read the riddles and find out the answers.

1. Où peut-on acheter du pain ? ....
2. Quel est l'endroit où l'on va acheter à manger ? ....
3. Où vont les enfants pour étudier ? ....
4. Comment appelle-t-on un endroit où il y a des œuvres d'art ? ....
5. Où peut-on acheter des livres ? ....

GRAMMAIRE

IL Y A / IL N'Y A PAS DE/D'

The French expression **Il y a** can mean *there is* or *there are*.
- Affirmative form: - singular: **il y a** + **un/une** + noun singular
  *Dans mon quartier, **il y a une** boulangerie.* (= In my neighbourhood, there is a bakery.)
  - plural: **il y a** + **des/deux/trois** + noun in plural
  *Dans mon quartier, **il y a des** magasins.* (= In my neighbourhood, there are shops.)
- Negative form: **il n'y a pas de/d'** + Ø + noun
  ***Il n'y a pas de** boulangerie près de la maison.* (= There is no bakery near my house.)
  ***Il n'y a pas de** rues piétonnes dans mon quartier.* (= There are no pedestrian streets in my neighbourhood.)

7. Translate into French.

1. There is a supermarket in my neighbourhood. ....
2. There are no pedestrian streets in my town. ....
3. There is no car park in my building but there is a garden. ....
4. In my town, there are restaurants but there are no hotels. ....

8. Look at the image and say what you can and cannot find using the structure *il (n') y a (pas)*.

bar - hôpital - restaurant - librairie
jardin - théâtre - cinéma - boulangerie
centre commercial - immeubles

Il y a un bar...
Il n'y a pas de...
....
....
....
....

9. Fill in the blanks with *est-ce que/qu'* or *qu'est-ce que/qu'*.

1. • .... tu vas au travail en métro ?
   ◦ Non, à vélo.

2. • .... il y a une pharmacie dans le centre ?
   ◦ Oui ! Près de la poste.

3. • .... il y a près de la fac ?
   ◦ Des restaurants, un cinéma, des bars...

4. • .... tu fais ce soir ?
   ◦ Je vais au cinéma avec des amis.

5. • .... on visite aujourd'hui à Paris ?
   ◦ La tour Eiffel et le Louvre.

6. • .... ils habitent dans ce quartier ?
   ◦ Oui.

> **!** Did you notice? When you use these expressions the word order doesn't change in French.
> *Tu vas au bar. / Est-ce que tu vas au bar ?* (= You are going to the pub. / Are you going to the pub?)

10. Transform the sentences as in the example.

1. Nous allons visiter le musée d'Orsay. *On va visiter le musée d'Orsay*
2. On habite dans un quartier tranquille. *Nous* ....
3. On va au restaurant italien ce soir. *Nous* ....
4. Nous avons une jolie maison. *On* ....
5. Nous sommes à Madrid pour les vacances. *On* ....

> ❗ Never use **visiter** to say *to visit a person*, you should use **rendre visite**.
>
> *Nous rendons visite à des amis.* (= We are visiting friends.)

11. Make sentences with the link words *au, à la, à l'* and *aux*.

.... parc pour me promener.

.... librairie pour acheter des BD.

Je vais   .... restaurant pour mon anniversaire.

.... Antilles pour les vacances.

.... cinéma voir un film de Dani Boon.

.... université Paris-Sorbonne, j'étudie l'histoire.

> **ALLER À / ALLER CHEZ**

- In French you use the preposition **à** to indicate you are going somewhere.
  *Je vais **à** la boulangerie.* (= I am going to the bakery.)
  *Nous allons **à** la librairie.* (= We are going to the bookshop.)

- But you use the preposition **chez** when you are going to visit someone.
  *Je vais **chez** mes amis.* (= I'm going to my friends' house.)

- It is also used to when one is at / is going to the office or some administrations.
  *Je suis / vais **chez** le médecin.* (= I am at the doctor / I am going to the doctor.)

12. Complete the sentences with *aller à* or *aller chez*. Conjugate the verb.

1. Nous .... la plage de la Pointe Rouge à Marseille.
2. On .... l'opéra ? Pierre a des places gratuites.
3. Ce soir, je .... des amis pour une fête.
4. Ils .... le médecin.
5. Je .... l'aéroport en bus. C'est rapide et pas cher.
6. Je .... moi. Je suis fatiguée.

13. Look at these sentences and match the elements from the two columns.

C'est un quartier sympa !   Aurélie, c'est elle ?
C'est Jean.   Il est content.
C'est lui !   Elle est chanteuse.

C'est •	• is used to introduce a person or to present an object.
	• is used in front an adjective.
	• refers to a person or an object that have been previously mentioned.
Il / Elle est •	• is used before a determiner + noun.
	• is used in front of the name of an occupation.

14. Fill in the blanks of this email with *c'est* or *il/elle est*.

● ● ●

| ↻ | ✕ Supprimer | ← Répondre | ◄◄ Rép. à tous | → Réexpédier | 🖶 Imprimer | ☰ |

Salut Ina,

Je suis à Grenoble !! J'ai une chambre dans un appartement en colocation. .... un appartement grand et lumineux. .... très bien situé, près du tramway. J'adore le balcon, ... ensoleillé. Le quartier est aussi très sympa : il y a un marché et beaucoup de petites boutiques. .... pratique ! On est trois dans l'appartement. Julia, ... espagnole. .... guide touristique. L'autre, ... Louise. .... belge. .... un appartement international ! .... un quartier très animé ! Il y a un cinéma, des magasins, des bars...

Bises,
Fatima

15. Observe the sentences and complete the rules.

How to form a feminine adjective:
  un quartier <u>intéressant</u> (= interesting) → *une ville <u>intéressante</u>* (= interesting)
  un quartier bien <u>situé</u> (= located) → *une ville bien <u>située</u>* (= located)
  *un quartier <u>danger**eux**</u>* (= dangerous) → *une ville <u>danger**euse**</u>* (= dangerous)

- If the masculin form ends with a consonant, you add ....
- If the masculine form ends with an **é**, you add ....
- If the masculine form ends with -**eux**, you take out the .... and add ....
- In French, some adjectives have the same masculine and feminine form: **moderne • tranquille • sympathique • agréable • unique • dynamique • historique • pratique • cosmopolite • typique...**
  What is the final vowel? ....

Observe the formation of the plural.
  un quartier tranquille → *des quartiers tranquille**s***   *un livre ennuyeux* → *des livres ennuyeux*
  un musée intéressant → *des musées intéressant**s***   *un film français* → *des films français*
  une ville ennuyeuse → *des villes ennuyeuse**s***

- In general, in which case should we add nothing to the singular form of the adjective to have the plural? ....

16. Complete the chart with the help of the previous examples.

MASCULINE SINGULAR	MASCULINE PLURAL	FEMININE SINGULAR	FEMININE PLURAL
moderne			
heureux			
joli			
dynamique			
ensoleillé			
grand			
calme			

17. Choose the adjective that corresponds to the context and complete the sentences. Remember, the adjective has to agree with the noun it qualify.

agréable - méditerranéen - vivant - ennuyeux - bruyant - heureux

1. Elle a son diplôme de pharmacie ! Elle est vraiment .... !
2. L'appartement est très beau, mais la rue est ....
3. Nantes est une ville très ....
4. Ses amis sont .... non ? Dans les soirées entre amis, ils ne parlent pas, ne rigolent pas.
5. J'adore la cuisine .... Il y a beaucoup de fruits et de légumes.
6. Tu connais le quartier latin ? C'est un lieu très .... dans Paris.

PHONÉTIQUE

18. Listen to these sentences and focus on the adjectives. Then, answer the questions below.

ISTE 12

Nous avons un grand jardin et une grande maison.
Le film est intéressant, mais les acteurs ne sont pas très intéressants.
Les maisons dans cette rue sont très grandes.
C'est une ville intéressante.

- Adjectives ending with a consonant have a different pronunciation in their feminine form. **true / false**
- There is no difference in the pronunciation of a singular adjective and a plural adjective. **true / false**

19. Masculine or feminine? Sort the adjectives that you hear according to the gender.

PISTE 13

1. masculine ☐ feminine ☐
2. masculine ☐ feminine ☐
3. masculine ☐ feminine ☐
4. masculine ☐ feminine ☐
5. masculine ☐ feminine ☐

20. In French, it is possible to ask a question simply by changing the intonation of the sentence. Read and listen to these examples and answer the questions below.

PISTE 14

1. Elle va au parc. / Elle va au parc ?
2. Ils sont italiens. / Ils sont italiens ?
3. C'est une rue. / C'est une rue ?

- When the intonation goes down at the end of the sentence it is a statement. **true / false**
- When the intonation goes up at the end of the sentence it is a question. **true / false**

21. Listen to the examples and highlight the nature of the sentences.

PISTE 15

1. statement / question
2. statement / question
3. statement / question
4. statement / question
5. statement / question

22. Listen to these examples and highlight the sound that you hear. [ə] as in *le* or [e] as in *situé*.

PISTE 16

1. [ə] / [e]
2. [ə] / [e]
3. [ə] / [e]
4. [ə] / [e]
5. [ə] / [e]

LEXIQUE

1. Answer the riddles.

1. C'est la mère de mon père. C'est ma ....
2. C'est la sœur de ma mère. C'est ma ....
3. C'est le fils de la femme de mon père.
   C'est mon ....
4. Ce sont les enfants de mon oncle.
   Ce sont mes ....
5. C'est le mari de ma sœur. C'est mon ....
6. C'est le fils de mon frère. C'est mon ....
7. C'est le père de mon mari. C'est mon ....
8. Ce sont les parents de mon père.
   Ce sont mes ....

FAMILY

Be careful, don't confuse:
Petite-fille/Petit-fils (= granddaughter/grandson)
Petits-enfants (= grandchildren)

 Remark:
Belle-mère (= mother-in-law and stepmother)
Beau-père (= father-in-law and stepfather)

2. Match the adjectives with their definition.

optimiste - timide - actif/active - autonome
stressé(e) - ouvert(e)

1. Paul fait trop de choses. → Il est très ....
2. Léa ne parle pas beaucoup. → Elle est ....
3. Julie s'inquiète beaucoup pour son travail.
   → Elle est ....
4. Ali parle avec tout le monde. → Il est ....
5. Martine fait les choses toute seule sans qu'on lui demande. → Elle est ....
6. Jean pense toujours positif. → Il est ....

CHARACTER

False friends:
Il est timide. (= He is shy.)
Il est peureux. (= He is timid.)

3. Fill in the grid with these labels.

je n'aime pas - je déteste - j'adore
j'ai horreur (de) - je n'aime pas du tout
j'aime bien - j'aime beaucoup - j'aime

OPINION POSITIVE		OPINION NÉGATIVE	
j'adore	👍👍👍👍👍	j'ai horreur	👎👎👎👎👎
	👍👍👍		👎👎👎
	👍👍		👎👎
	👍		👎

AIMER

In French, the verb **aimer** means:
- **Love**: *J'aime Paul.* (= I love Paul.)
- **Like**: *J'aime beaucoup le reggae.*
  (= I like reggae.)

 Remark you have to use an article before a noun but not before the infinitive of a verb.
*J'aime **le** chocolat.* (= I like Ø chocolate.)
J'aime nager. (= I like to swim.)

4. Complete the dialogues with the expressions of exercise 3.

1. • Qu'est-ce que tu fais ce week-end ?
   ○ J'ai un examen lundi, alors je révise mes cours ! Je .... travailler le WE ! 👎👎👎

2. • Paul organise une fête, vous venez ?
   ○ Merci, non, ... Paul. Il est très désagréable avec moi. 👎👎

3. • J'ai deux places pour le concert de Gotye !
   ○ ....!! Je peux venir avec toi ? 👍👍👍👍👍

4. • Le prof organise des ateliers de peinture, c'est cool ! .... bien !!👍

POUR / PARCE QUE

You use:
- **parce que** + conjugated verb
- **pour** + infinitive or noun

  • *Pourquoi tu fais du football ?* (= Why do you play football?)

  ○ *Parce que j'aime beaucoup les sports d'équipe.* (= Because I love team games.)

  • *Pourquoi tu vas en France ?* (= Why do you travel to France?)

  ○ *Pour étudier la langue.* (= To study the language.)

5. Complete with *pourquoi, parce que* or *pour*.

1. .... tu ne viens pas ?

.... je suis fatigué !

2. Je ne veux pas aller à ce festival.

.... ?

.... je n'aime pas le rock !

3. .... tu apprends le français ?

.... pouvoir parler avec mon beau-frère. Il est belge.

4. .... elle ne parle pas ?

.... est timide.

5. Je veux organiser un atelier de yoga.

.... ?

.... on a tous besoin de se détendre et .... transmettre ma passion aux autres.

6. ....elle est triste ?

.... tu vas partir !

DEMONSTRATIVE ADJECTIVE

In French, the demonstrative adjectives do not indicate the distance as they do in English.
In order to indicate the distance of the person or the object you can use **ci** or **là**.

  Ce livre (= This / That book)
  Ce livre-ci (= This book)
  Ces maisons-là (= Those houses)

Remember, demonstrative adjectives must agree in number and in gender with the noun.

! Before a vowel or a silent *h* **ce** becomes **cet**.

6. Circle the right answers.

1. Je te conseille de voir .... film, il est très drôle.
  a. ce   **b.** cet   **c.** cette   **d.** ces

2. J'aime beaucoup rendre visite à .... gens.
  a. ce   **b.** cet   **c.** cette   **d.** ces

3. Je ne connais pas .... auteur, il est connu ?
  a. ce   **b.** cet   **c.** cette   **d.** ces

4. C'est Julie, la mère de .... enfants.
  a. ce   **b.** cet   **c.** cette   **d.** ces

5. Elles sont adorables, ... filles
  a. ce   **b.** cet   **c.** cette   **d.** ces

6. Cela fait 6 ans que nous vivons dans .... ville.
  a. ce   **b.** cet   **c.** cette   **d.** ces

7. Vous connaissez .... artiste ? Elle est incroyable !
  a. ce   **b.** cet   **c.** cette   **d.** ces

8. Je voudrais connaître le prix de .... ordinateur, s'il vous plaît.
  a. ce   **b.** cet   **c.** cette   **d.** ces

GRAMMAIRE

> **FAIRE** AND **JOUER**

faire + *du, de l', de la, des*
(for hobbies and sports)
  Je fais du football.
  (= I play soccer.)
  Tu fais de l'athlétisme.
  (= You do athletics.)
  Je fais des arts martiaux.
  (= I do martial arts.)

jouer + *à la, à l', au, aux*
(playing games, sports that use a ball, bat,
club, and/or a stick, team sports or sport
with at least one opponent)
  Je joue à la pétanque. (= I play petanque.)
  On joue au tennis. (= I play tennis.)
  Nous jouons aux cartes. (= I play cards.)

jouer + *du, de la, de l', des*
(playing an instrument)
  Je joue du piano.
  (= I play the piano.)
  Tu joues de la guitare ?
  (= Do you play the guitar)
  Je joue de l'harmonica.
  (= I play the harmonica.)

 Je joue au foot → I play soccer.
Je fais du foot → You are playing soccer. It's your activity.

7. Fill in the blanks with *du, de l', de la, des, au, à la, à l'* or *aux*.

> **FORUM :** LES LOISIRS DU WEEK-END Qu'est-ce que vous faites le week-end ?

 ANNE VENDREDI, 21 FÉVRIER À 15H15
Le samedi, j'emmène mes enfants à leurs activités. L'aîné fait .... football
et le plus petit, joue .... piano. Le dimanche, on aime bien jouer à des jeux
de société, ... Scrabble ou .... Trivial Poursuit.

 ENZO VENDREDI, 21 FÉVRIER À 14H23
Je travaille beaucoup, alors, le week-end, je profite de mes deux fils. On
adore faire du sport ! On fait .... VTT ou on joue .... tennis.

 PATRICK SAMEDI, 22 FÉVRIER À 9H04
On habite dans une nouvelle maison, alors, en ce moment, les week-ends,
on fait .... bricolage !

 SOPHIE SAMEDI, 22 FÉVRIER À 10H53
Je fais .... judo dans un club. Le week-end, on a des compétitions.

 VINCENT SAMEDI, 22 FÉVRIER À 11H25
Avec mes colocataires, le samedi soir, on va dans notre bar préféré et on
joue .... billard. Le dimanche, c'est tranquille, on joue .... jeux vidéo.

8. Translate these sentences into French.

1. I play the guitare. ....
2. I play chess. ....
3. I do excursions. ....
4. I swim. ....

9. Complete the dialogues with the conjugated form or the infinitive of *faire* or *jouer*.

1. • Qu'est-ce que tu fais comme sport ?
○ Avec des amis, on .... au tennis tous les week-ends.

2. • Tes enfants font de la musique ?
○ Oh oui, mon fils .... du piano et ma fille .... de la clarinette.

3. • Qu'est-ce qui te relaxe ?
○ Je .... du dessin et surtout je .... de la boxe !

4. • Tu .... toujours de la natation ?
○ Non, je .... au handball maintenant.

5. • On .... aux échecs ?
○ Non, je préfère .... aux dames.

10. Complete the dialogues with the conjugated forms of *prendre, comprendre, apprendre* or *entendre*.

1. • Tu .... ce qu'il dit ? C'est trop compliqué pour moi !
○ Moi j'aime bien ce cours, j' .... beaucoup de choses. Tu ne .... pas parce que tu n'écoutes pas les instructions !

2. • Pour aller au centre ville, vous .... quelle ligne de métro ?
○ Nous .... la 8 et ensuite la 7.

3. • Ils .... à faire la cuisine avec les vidéos de

Youtube, c'est super non ?
○ Bof, je ne .... pas ces vidéos, je préfère un livre de recettes.

4. • Je ne .... pas pourquoi tu ne veux pas venir avec nous au concert.
○ Parce que je ne .... pas l'anglais. Je préfère écouter de la musique française.

5. • Pardon ? Je n' .... pas ce tu dis.
○ C'est vrai ! Il y a trop de bruit dans ce restaurant !

MOI AUSSI, MOI NON PLUS, MOI SI, MOI NON

J'aime le rock !
Moi aussi !
Moi non plus !
Moi non !
Je n'aime pas la musique!
Moi si !

Moi non plus ! (= I don't either! / Neither do I! / Me neither!)
Moi non ! (= I don't!)
Moi aussi ! (= Me too! / I do too!)

! Note that in French, if you disagree you say **Moi si !** and not **Moi oui !**

Be careful when pronouncing **Moi non plus**, the final **s** is silent!

11. Complete with *moi aussi, moi non plus, moi non* or *moi si*.

1.

J'adore la cuisine italienne !
😊 .... !

2.

Je voyage beaucoup !
☹ .... !

3.

Je n'aime pas danser.
😊 .... !

4.

Je n'aime pas le bricolage.
☹ .... !

12. Answer these questions with *venir de/du/d'/des.*

1. De quel continent vient le yoga ? ....
2. D'où vient la samba ? ....
3. D'où vient la salsa ? ....
4. D'où vient le tango ? ....
5. D'où vient la capoeira ? ....
6. D'où vient le rock ? ....
7. D'où vient la valse ? ....

> **!** Remember that in French countries, regions, states or counties have genders. Use **de** for feminin nouns and **du** for masculine nouns.

13. Fill in the blanks with the right tonic pronoun.

1. ● Tu viens avec ......, demain, pour voir l'appartement ?
   ○ Non, désolé, je ne suis pas disponible.

2. ● Emma et Christian, ils sont chez ...... ?
   ○ Je ne sais pas, envoie un WhatsApp.

3. ● Et Sophie ? Tu parles avec ...... ?
   ○ Non, je ne la vois plus.

4. Paul et ......, nous sommes ravis de vous acceuillir !

5. ● Et......, vous habitez en colocation ?
   ○ Oui, pour......, c'est plus pratique.

6. ● C'est à ......, ce téléphone ?
   ○ Non, il est à John.

14. Complete the blog below with *moi, lui, elle, nous, vous* or *eux.*

La famille, c'est important pour ......?

Coralie, 25 ans   SAMEDI 21 FÉVRIER À 11H15

Pour ......, la famille, c'est très important. Mes parents habitent à Lyon et j'étudie à Nantes. J'essaye de rentrer chez ...... une fois par mois.

Claire, 35 ans   SAMEDI 21 FÉVRIER À 15H11

Mon mari et moi, nous sommes divorcés. Comme je suis souvent absente pour mon travail, mes enfants vivent avec ...... la plupart du temps. Je sais que pour ...... c'est très dur. On a décidé avec mon mari de partir en vacances ensemble une fois par an. C'est à .... de décider de la destination.

David, 40 ans   DIMANCHE 22 FÉVRIER À 16H19

Nous passons le plus de temps possible avec nos enfants. Mais une fois par an, on les laisse chez leurs grands-parents et nous, on part en vacances. Mes enfants adorent passer avec du temps avec .... Et pour ......, c'est une véritable semaine de vacances !

Mathias, 28 ans   LUNDI 23 FÉVRIER À 8H15

Avec ma sœur, on est très proche. On habite loin l'un de l'autre, mais on se voit une fois par mois. Je sais que pour ......, c'est essentiel !!

PHONÉTIQUE

15. Listen to the audio and say if the verb *apprendre* is singular or plural.

TE 17

1. singular ☐   plural ☐
2. singular ☐   plural ☐
3. singular ☐   plural ☐
4. singular ☐   plural ☐
5. singular ☐   plural ☐

16. Listen to audio. Who are they talking about? Tick the right answers.

TE 18

1. Léon et Eliot ☐   Eliot ☐
2. Mia et Nina ☐   Nina ☐
3. Léon et Eliot ☐   Eliot ☐
4. Mia et Nina ☐   Nina ☐
5. Léon et Eliot ☐   Eliot ☐
6. Mia et Nina ☐   Nina ☐

17. Listen to the sentences and say if you hear a nasal vowel or an oral vowel.

TE 19

	NASAL VOWEL	ORAL VOWEL
1.		
2.		
3.		
4.		
5.		
6.		

18. Mark the *liaison* using ‿.

1. Je suis un garçon sociable.
2. Cette année, il part en Australie.
3. Leurs enfants font beaucoup de sport.
4. Elle travaille dans un atelier de peinture.
5. Mon frère habite dans cet appartement.
6. Elles aiment les cours de yoga.
7. Je ne suis pas invité à ce mariage.
8. J'adore ces enfants.

19. Listen to the audio and check your answers.

PISTE 20

20. Listen to the sentences and say if you hear *ce* or *ces*.

PISTE 21

	CE	CES
1.		
2.		
3.		
4.		
5.		
6.		
7.		
8.		
9.		
10.		

Les noms de rues en France

Les 15 noms de rues les plus courants en France.
En tête du classement : rue de l'Église. Puis, place de l'Église, Grande-Rue, rue du Moulin, place de la Mairie, rue du Château, rue des Écoles, rue de la Gare, rue Principale, rue du Stade, rue de la Fontaine, rue des Jardins. Seules deux rues portent le nom de personnes célèbres sur la liste : rue Pasteur est la plus fréquente, et après, rue Victor Hugo.
(Source : La Poste)

Attention ! L'Hôtel de ville n'est pas une chaîne d'hôtels touristiques ! C'est le nom donné à la mairie dans les grandes villes.

Paris, Amiens, Saint Quentin… c'est en France ?

Ce sont des noms de ville en France, mais ils existent aussi dans d'autres pays du monde. Aux États-Unis, on trouve la ville de Paris au Texas, la ville de Marseille dans l'illinois ou encore Versailles dans l'Ohio. Amiens, ville du Nord de la France, est aussi le nom d'une ville en Australie dans le Queensland, non loin de Brisbane. La ville d'Abbeville se trouve en France, au Canada et aux États-Unis.

La ville de Saint-Quentin se situe dans l'est de la France mais aussi dans le nord-ouest du Nouveau-Brunswick, au Canada. Au Royaume-Uni, il existe aussi la ville de Ham. Albert est un nom de ville courant que l'on retrouve en France, au Canada, aux États-unis et en Australie.

Abbeville
○ ○ Amiens
Paris ○   ○ Saint-Quentin
○ Ham

Marseille
○

Akaroa en Nouvelle-Zélande

C'est un village de la péninsule de Banks, sur l'Île du Sud de la Nouvelle-Zélande. Pendant la première moitié du XIXe siècle, un petit groupe de Français a débarqué de Paris pour coloniser l'île. Le village a conservé des noms de rues français, ainsi que des traditions françaises : cuisine, célébration du 14 juillet, cours de langue française... Il est amusant de repérer les fautes d'orthographes dans les noms des rues ou des commerces écrits en français... Tous les ans, il y a le Festival français d'Akaroa (Akaroa FrenchFest), on y déguste des spécialités, on s'y habille en bleu, blanc et rouge, on écoute de la chanson française...

Talmont sur Gironde en France

C'est un village situé près de Royan dans le Sud-Ouest de la France. Il fait aujourd'hui partie de l'association des « plus beaux villages de France ». Ce village fortifié a été fondée en 1284 par Édouard 1er, roi d'Angleterre et duc d'Aquitaine. Il a fait construire les remparts, qui en font une « ville-close » semblable aux bastides que l'on peut trouver dans le sud-ouest de la France.

La Louisiane aux États-Unis

C'est une zone contrôlée par les Français entre les XVIIe et XVIIIe siècles. Le nom La Louisiane est donné en l'honneur du roi de France Louis XIV. Beaucoup de nom de ville sont d'origine française : New-Orleans, Bâton-Rouge, Saint Louis...

À la Nouvelle-Orléans, l'influence française est encore présente avec notamment le quartier français et ses noms de rue français, la musique ou encore le carnaval.

Selon le dernier recensement fédéral américain, datant de 2010, 3 % de la population seulement de l'État de Louisiane parlent aujourd'hui le français.

Answer the questions.

1. Qu'est-ce qu'un hôtel de ville ?
   - Un hôtel de tourisme. ☐
   - Une administration. ☐
   - L'office du tourisme. ☐

2. Vrai ou faux ?
   - Paris est la capitale de la France mais aussi du Texas. **VRAI / FAUX**
   - En France, toutes les rues portent des noms de personnes célèbres. **VRAI / FAUX**
   - Le nom La Louisiane a été donné en l'honneur de Louis XIV. **VRAI / FAUX**
   - Abbeville se trouve en France mais aussi en Australie. **VRAI / FAUX**

LEXIQUE

1. Match the two columns to make a proper sentence.

1. Je fais
- une promenade
- un verre

2. Nous allons
- un match
- au musée

3. Matéo et Olivier voient
- au travail
- un film

4. Pauline regarde
- la télévision
- au sport

5. Vous prenez
- un verre
- au restaurant

2. Tick the right answer.

1. Hier soir, j'ai terminé de travailler ....
☐ à midi ☐ à minuit ☐ l'après-midi

2. Nous faisons une pause .... pour manger.
☐ après-midi ☐ à minuit ☐ à midi

3. Je fais toujours la sieste le dimanche ....
☐ l'après-midi ☐ à midi ☐ le soir

4. Elle termine les cours à 5 heures .... après, elle va réviser à la bibliothèque.
☐ à minuit ☐ du matin ☐ de l'après-midi

5. La banque ouvre à 9 heures ....?
☐ de l'après-midi ☐ du matin ☐ du soir

6. Jean travaille dans une discothèque. Il commence à 8 heures ....
☐ du matin ☐ du soir ☐ de l'après-midi

3. Look at the sentences below and circle the right answer.

> To talk about things you regularly do, you use / don't use an article before the day of the week.
>
> **Les mardis,** *je vais au yoga.*
> (= **tous** les mardis)
> **Mardi,** *je vais à la piscine, tu viens?*
> (= **ce** mardi)
> **Lundi,** *j'ai une réunion marketing.*
> (= **ce** lundi)
> **Le lundi,** *je travaille chez moi.*
> (= **tous** les lundis)

4. Fill in the blanks with *le*, *les* or ø.

> Coucou Joséphine !
> Il faut absolument qu'on se voie la semaine prochaine ! 11:34 ✓

> Coucou Astrid ! Ça va ? Avec plaisir !
> Quand es-tu disponible ? 11:36 ✓

> Cette semaine, j'ai déjà un déjeuner prévu .... mercredi midi, mais je suis libre .... mardi. 11:44 ✓

> Alors moi, ... mardis, je déjeune toujours avec mes collègues !
> On dîne ensemble un soir ? 11:47 ✓

> Alors moi, ... soir, j'ai souvent des activités. .... lundi, j'ai danse, ... mardi, j'ai chorale et .... jeudi j'ai théâtre. Ah, et puis .... mercredi soir je suis invitée au cinéma, on va voir James Bond ! 11:51 ✓

> Moi, ... vendredi, j'ai déjà un dîner et .... samedi, je vais à un anniversaire ! 12:00 ✓

> Il reste .... dimanche soir alors ? 12:02 ✓

> Oui ! Parfait ! 12:02 ✓

> Super, merci ! À dimanche ! 12:05 ✓

5. Find the adjective that best describes the persons.

drôle - curieux - originale - festif - paresseux - discret - footeux

1. Fatima aime faire la fête. Elle est très f............
2. Nolan n'aime pas travailler. Il est p...............
3. Sandra ne fait pas de bruit. Elle est d............
4. Théo fait souvent des blagues. Il est d...........
5. Tara veut tout savoir. Elle est c...................
6. Tom adore le foot. Il est f.........................
7. Fanny porte des chapeaux de couleur. Elle est o....................

THE HOUR

When giving the time in French, you usually say the time of the day.

*Je me réveille **à** sept heures du matin.* (= I wake up **at** 7 a.m.)

***Il est** cinq heures de l'après-midi.* (= **It's** 5 p.m.)

You may also use the 24 hour notation:

***Il est** quinze heure.* (= **It's** 3 p.m.)

! Don't say **douze** but :
midi (= 12 a.m. / noon)
minuit (= 12 p.m. / midnight)

Between 1 a.m. and 11 a.m. we say **du matin**.
Between 1 p.m. and 5 p.m. we say **de l'après-midi**.
After 6 p.m. we say **du soir**.

6. Write the time in words.

a. `12:30`
....
....

f. `00:00`
....
....

b. `12:00`
....
....

g. `10:45`
....
....

c. `03:00`
....
....

h. `19:00`
....
....

d. `07:00`
....
....

i. `13:00`
....
....

e. `09:15`
....
....

j. `15:00`
....
....

7. Look at the photos and choose the adjectives that best describe Thomas and Sonia.

- Thomas est **brun / blond**.
- Thomas porte une **barbe** / une **moustache**.
- Thomas est **sérieux / drôle**.

- Sonia est **brune / blonde**.
- Sonia porte **des lunettes** / **une barbe**.
- Sonia est **sympa / triste**.

DESCRIPTION

The word **cheveux** is usually in plural.
Il a les cheveux blonds. (= He has blond hair.)

! *Red hair* is not **rouge** but **roux/rousse**
Black hair is **les cheveux bruns**.

8. Put the sentences in the right order then fill in the blanks with the words below.

ensuite - après - finalement - d'abord - puis

☐ .... , ouvrir les yeux et boire un verre d'eau.

☐ .... , imaginer un bel endroit.

☐ .... , fermer les yeux.

☐ .... , respirer profondément.

☐ .... , se concentrer sur sa respiration.

9. Look closely at the pictures and rewrite the sentences using: *très, trop, assez, beaucoup, un peu.* Sometimes, there is more than one answer.

1. Ils ne font pas la fête.

2. Il est un peu fatigué.

3. Elle fait beaucoup de sport.

....

GRAMMAIRE

10. Match each verb with the right picture. Then, conjugate the verbs.

se réveiller - se maquiller - se reposer - s'habiller

1. ....   **2.** ....

3. ....   **4.** ....

11. Conjugate the reflexive verbs in brackets.

- Vous .... (se lever) à quelle heure le matin, généralement ?
- Moi, je .... (se lever) à 7 h 30. Et Marine, elle .... (se réveiller) à 8 h, mais elle reste au lit pour lire le journal. Comme ça, je .... (se doucher) et je .... (s'habiller) tranquillement. Et toi ?
- Moi, le matin, je .... (se lever) très tôt, vers 5 h 30, pour aller faire du sport avant le travail.
- À 5 h 30 ? Et tu .... (se coucher) à quelle heure, le soir ?
- Vers 22 h.
- Et Bertrand, il .... (se lever) à la même heure que toi ?
- Vers 6 h 30. Il .... (se préparer) pendant que je fais mon jogging et nous prenons le petit déjeuner ensemble.
- C'est une bonne organisation !

12. Fill in the interview with *quel*, *comment*, *quand*, *combien* or *où*.

Bonjour Anne ! .... vous faites pour être toujours en pleine forme ?

» J'ai mes petits secrets! Allez je veux bien les partager avec les auditeurs!

Et à .... heure vous vous couchez, le soir ?

» Je me couche toujours à la même heure. À 22 h tous les soirs.

Vous faites aussi beaucoup de sport, non ? .... de fois par semaine ?

» Je fais du sport tous les jours. De la gymnastique ou du yoga... De la marche, un peu de natation...

J'imagine que votre alimentation doit beaucoup jouer aussi ! .... faites-vous vos courses?

» Chez les petits commerçants, ou sur le marché. Je mange uniquement des produits bio.

Quel rythme ! .... prenez-vous du temps pour vous ?

» Le week-end, avec ma famille et mes amis.

//

Their position in the sentence is quite flexible and you can find them at the beginning of the sentence, before the subject, or at the end of the sentence, after the verb:

Tous les lundis, je vais en classe d'anglais. / Je vais en classe d'anglais tous les lundis.

(= Every Monday, I go to English class.)

! In French, you can never place the adverb after the subject.

13. Read Émilie's schedule and say if the statements below are true or false.

Agenda de la semaine

Lundi	Mardi	Mercredi	Jeudi	Vendredi	Samedi	Dimanche
réunion	réunion	réunion	réunion	réunion		
cours anglais	cours anglais	cours anglais	cours anglais	cours anglais		
déjeuner restaurant		déjeuner restaurant				repas de famille
salle de sport	salle de sport	salle de sport	salle de sport	salle de sport	salle de sport	salle de sport
	soirée copains				cinéma	

1. Émilie va souvent à la salle de sport le soir. **V/F**
2. Émilie ne va jamais au cinéma en semaine. **V/F**
3. Émilie a cours d'anglais tous les jours. **V/F**
4. Émilie ne voit pas souvent ses amis. **V/F**
5. Émilie a rarement des réunions de travail. **V/F**
6. Émilie déjeune parfois au restaurant. **V/F**

14. Conjugate the verbs in brackets.

1. • Alors, vous (sortir) .... ce soir, avec Laurent?
   ◦ Oui, tu viens?

2. • J'ai ton livre... À quelle heure tu (partir) ....
   pour le travail?
   ◦ Moi, à 7 heures du matin mais, Vincent
   (partir) .... plus tard, à 10 heures.
   Tu peux passer chez nous, bien sûr, si tu veux.

3. • Ça y est? Vous (vivre) .... ensemble?
   ◦ Oui, on est très contents!

4. • Vous êtes fatiguée... Vous (dormir) ....
   combien d'heures par nuit?
   ◦ Pas beaucoup... Je (dormir) .... entre 4 et
   5 heures... Rarement 8 heures...

5. • Et vous (suivre) .... un régime
   actuellement?
   ◦ Oui, mais je (sortir) .... parfois, au
   restaurant.

15. Jean has a great life. Conjugate the verbs in the *passé composé*.

Une aventure extraordinaire

Tout a commencé un jeudi. Jean .... (trouver) un billet de 100 euros dans le métro. Le soir, il .... (jouer) à la loterie et il .... (gagner) !! Un jour, il (décider) .... de changer de vie et il (écrire) .... un livre, qui (être) .... un énorme succès. Ensuite, il (vouloir) .... faire de la musique, alors il (créer) .... un groupe et enregistré un album. Les gens (adorer) .... sa musique et, avec son groupe, ils (faire) .... des tournées dans le monde entier. Lors d'un concert, il (rencontrer) .... sa femme et ils (avoir) .... trois enfants.

16. Conjugate the verbs in the *passé composé* in the negative form.

1. Tu (regarder).................... le match dimanche?
   Nous (gagner) .... !
2. Il (écrire) .... de mail à Marc.
3. Tu (voyager) .... au Canada? C'est un pays très sympa.
4. Lundi, nous (travailler) ...., c'était férié.
   On est allées à la plage.
5. Ils (finir) .... leur réunion et je ne sais pas comment faire avec ce rapport...
6. Vous (dîner) .... au restaurant?

PASSÉ COMPOSÉ

In English, the present perfect is always connected with the present whereas in French it is not always the case. You may use the *passé composé* with adverbs. Remember, the *passé composé* can be constructed with the auxiliary **être** or **avoir**.

J'ai été à Paris. (= I went to Paris.)
J'ai souvent voyagé à l'étranger.
(= I have often travelled abroad.)

17. Read Matthieu's list and answer the questions using *déjà, ne/n'... rien, ne/n'... jamais, ne/n'... pas encore.*

Pense-bête de la semaine
- s'inscrire à un cours de karaté (X)
- terminer le dossier pour la réunion de vendredi (X)
- visiter l'exposition sur les peintres impressionnistes (√)
- inviter les amis pour la fête d'anniversaire (à faire la semaine prochaine)
- appeler Marc pour lui demander son aide pour la fête (X)
- acheter un cadeau pour Sarah (X)

1. Est-ce que Mathieu est déjà allé s'inscrire à son cours de karaté ?

....

2. Mathieu a déjà terminé son dossier pour la réunion de vendredi ?

....

3. Mathieu a visité l'exposition sur les peintres impressionnistes ?

....

4. Est-ce que Mathieu a invité ses amis pour sa fête d'anniversaire ?

....

5. Est-ce que Mathieu a appelé Marc ?

....

6. Est-ce que Mathieu a acheté quelque chose pour sa sœur ?

....

PHONÉTIQUE

18. Listen to these sentences and underline the letter *x* when it is pronounced.

PISTE 22

1. Il est six heures.
2. Ils sont dix frères et sœurs.
3. Ils sont dix amis au total.
4. Entre le français et l'anglais, il y a des faux amis.
5. On se voit dans dix jours.

THE *LIAISON*

The words who end in -**x**:
- if the following word starts with a consonant you don't make the *liaison*.
  Dix voyages, six voyages
  /di/   /si/
- if the following word starts with a voyel or silent h you make the *liaison*.
  Dix activités, six activités
  /diz/   /siz/

19. Read the sentences out loud and underline the *liaisons*. Then, listen to the audio to check your answers.

PISTE 23

1. Elles ont un diplôme de gestion.
2. Il a six ans.
3. Nous sommes en voyage.
4. Il se lève à deux heures du matin
5. Elle habite à six kilomètres de chez nous.
6. Elles sont en cours de sport.

20. Listen and tick when you hear the [z] or the [s] sounds.

PISTE 24

	[S]	[Z]
1.		
2.		
3.		
4.		
5.		
6.		
7.		
8.		

- **What letters make the sound [z] when they are follow by a vowel?** ....

21. Say if the *s* is pronounced [s], [z] or Ø.

1. casanier
2. danser
3. soir
4. paresseux
5. sieste
6. brosser
7. gros

LEXIQUE

1. Complete the crossword puzzle with the proper adjective.

Horizontal

1. Il pense toujours négativement.
2. Il est réservé.
3. Il n'aime pas attendre.
4. Il parle beaucoup avec tout le monde.
5. Il veut progresser professionnellement.

Vertical

6. Il fait les choses tout seul.
7. Il donne beaucoup de sa personne.

2. Translate these sentences into English.

1. Elle sait conduire.

....

2. Elle ne sait pas nager.

....

3. Tu sais parler français ?

....

4. Vous savez, elle est timide.

....

5. Elle est chanteuse. Tu ne savais pas ?

....

> **SAVOIR AND CONNAÎTRE**

Savoir means "to know", but also "to know how to". Therefore, when you talk about know-how rather than a physical ability, when you use the modal *can* in English, you use **savoir** in French.
   Tu sais chanter ? (= Can you sing?)

Connaître has two meanings "to know someone" or to be familar with someone or something. Remember it has to be followed by a direct object.
   Tu connais Sarah ? (= Do you know Sarah?)

3. Fill in the blanks of this ad with the verb *savoir* or *connaître* conjugated at the right persons.

Guide touristique Bruges, Belgique

○ Vous .... bien la ville de Bruges ?

○ Vous .... l'histoire des monuments de la ville ?

○ Vous .... où se trouvent les meilleurs endroits pour manger, se promener, faire la fête ?

○ Vous .... plusieurs langues ?

Vous êtes peut-être notre nouveau guide !

○ Si vous .... que vous êtes le candidat idéal, envoyez-nous votre CV et une lettre de motivation !

○ Nous .... qu'il est difficile de s'adresser à un grand groupe dans les rues bruyantes, alors nous limitons le nombre d'inscrits à 10 personnes.

4. Translate these sentences into English. You may use a dictionary.

1. Il a obtenu un nouveau poste dans la même entreprise.

....

2. J'ai une formation en anglais.

....

3. Nous assistons à une réunion.

....

4. Aujourd'hui, j'ai un entretien pour un travail.

....

5. La semaine prochaine, j'interview Catherine Deneuve.

....

5. Read the sentences and circle the right answer.

1. J'ai été fille au pair en Angleterre l'**an / année** dernière.

2. Elle est bénévole dans cette association depuis cinq **années / ans**.

3. Cette **année / an**, nous avons fait un voyage en Australie.

4. Amélie Nothomb a publié son premier roman dans les **années / ans** 1990.

5. Il a vécu pendant deux **ans / années** en Australie.

6. Il y a dix **ans / années**, elle a quitté la France et elle a fait le tour du monde.

> **FALSE FRIEND**
>
> **Un poste :** In French **une position** does exist, but it refers to a physical placement. *Une position de danse.*
>
> **Une formation :** In French, you'd only use **une formation** when talking about acadamic training.
>
> **Assister/Assister à... (quelque chose):** It means both to attend and to second, but there is no notion of help. If you want to talk about helping someone, you may use the verb **aider** instead.
>
> **Un entretien :** In French, they use the word **interview** only when someone is interviewing someone else for a newspaper, radio or on television.

> **AN/ANNÉE**
>
> *Year* can be translated into French by **an** or **année**.
> - **an** (m): it is used for the purpose of counting years or with numbers.
>   *Mon fils a quatre **ans**.* (= My son is 4 **years** old)
>   *Il vit à Paris depuis 4 **ans**.* (= He has lived/He has been living in Paris for 4 **years**.)
> - **année** (f): it is used to talk about a duration or cardinal numbers or to talk about a specific year. It is also use in idioms realted to time.
>   *Jacques-Yves Cousteau est né dans les **années** 20.* (= Jacques-Yves Cousteau was born in the 1920s.)
>   *L'**année** dernière, je suis allée en Inde.* (= Last **year**, I went to India.)

GRAMMAIRE

6. Adrien and Caroline have opened their restaurant and they are sharing their story. Underline the time expressions in each sentence. Then, put the sentences in the right order to tell the story.

☐ Nous avons eu un petit moment de stress hier avant l'ouverture : et si les clients n'aiment pas nos plats ? Et si nous n'avons pas de clients ? À j-1, ce n'est pas le moment de s'inquiéter.

☐ On a eu l'idée d'ouvrir notre restaurant l'année dernière après avoir très mal mangé dans un restaurant de notre quartier à Lyon.

☐ Mais aujourd'hui, c'est le grand jour ! Il est 20 h 30 et le restaurant est plein. Les gens adorent notre cuisine.

☐ Le mois dernier, nous avons trouvé l'endroit parfait et nous avons commencé les travaux.

☐ La semaine dernière, avec David, notre chef cuisinier, nous avons finalisé le menu. Notre spécialité, ce sont les quenelles.

7. Translate the sentences and complete the rule.

1. She was born in the 80's.

....

2. He was a nurse for 15 years.

....

3. I studied in Ireland from 2010 until 2011.

....

4. They started their project in 2012.

....

5. I met my partner during my year in Mali.

....

6. We travelled in Europe for 3 months.

....

- To refer to a precise year in the past, we use: ....
- To refer to the duration of an event, we use: ....
- To express the beginning and the end of an event, we use: ....
- To refer to a decade, we use: ....

PENDANT

Pendant expresses the exact duration of a past action. It translates **for** but also **during**.

Do not use the French **pour** to translate **for**!

Nous avons habité à Gand pendant deux ans. (= We lived in Gand for two years.)

RELATIVE PRONOUNS *QUI* AND *QUE*

In French, we use two different relative pronouns, **qui** and **que**.

PRONOUN	FUNCTION	TRANSLATION
QUI	Subject	who, what
	Indirect object (person)	which, that, whom
QUE	Direct object	whom, what, which, that

8. A nurse talks about her experience with *Médecins sans frontières*. Fill in the blanks with *qui*, *que*, or *qu'*.

J'ai rejoint l'association Médecins sans frontières grâce à un ami .... travaille avec eux depuis quelques années. Je suis partie en Afrique de l'Ouest et j'ai commencé à m'occuper d'enfants .... souffrent de malnutrition. La malnutrition est un problème .... on sous-estime et .... touche plus de 38 % de jeunes enfants. J'ai eu la chance de travailler avec des gens .... m'ont aidés dès le début et .... font tout pour aider ces enfants.

C'est une expérience intéressante, mais .... est aussi très difficile. Attention aux futurs infirmiers : c'est un travail .... on ne peut pas faire si on aime son petit confort !

9. Use the correct verbs to write the captions of this image. Use the auxiliary *être*.

monter mourir

sortir naître

rester aller

revenir tomber

arriver passer

descendre

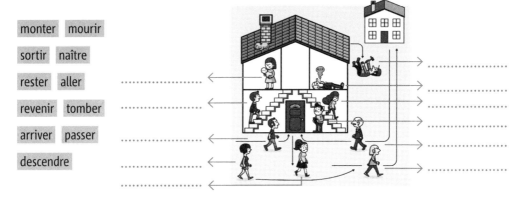

10. Match each subject with its verb. Remember to check that the subject agrees with the verb.

Les employés •   • sont sorties du bureau.
L'informaticien •   • est resté jusqu'à 17 h.
La chef •   • sont arrivés en retard.
Les candidates •   • est venue pour la présentation.

In the *passé composé*, when **être** is the auxiliary, the past participle:

☐ agrees in gender.   ☐ agrees in number.   ☐ only one letter can be added.
☐ does not agree in gender.   ☐ does not agree in number.   ☐ two letters can be added.
Letter added at the end of the past   Letter added at the end of the past   Letters added at the end of the past
participle: ....   participle: ....   participle: ....
La semaine dernière,   *Ils se sont réveillé....à 7 h 15*   *Elles sont né.... en 1995.*
elle est arrivé.... à 8 h 30.   *hier matin.*

---

11. Read these biographies and circle the correct form.

CHARLOTTE GAINSBOURG

Elle est **né / née** à Londres. C'est la fille de Serge Gainsbourg et de Jane Birkin. Elle est **connu / connue** pour sa carrière d'actrice, mais aussi de chanteuse. Elle a **joué / jouée** dans des films français, mais aussi internationaux. En 2009, elle a **reçu / reçue** le prix d'interprétation féminine au festival de Cannes. Son 5e album est **sorti / sortie** en 2017 avec des chansons composées par Paul McCartney et un des membres de Daft Punk.

OMAR ET FRED

C'est un duo comique formé par Omar Sy et Fred Testot. Ils sont **devenu / devenus** célèbres grâce à leur émission *Service après-vente des émissions*. En 1997, ils se sont **rencontré / rencontrés** grâce à l'humoriste Jamel Debbouze. En 2010, ils se sont **improvisé / improvisés** chanteurs avec la chanson *Bleu, blanc, rouge* pour soutenir l'équipe de France de football.

12. Translate these sentences into English.

1. Ils se sont rencontrés en France.

....

2. Nous nous sommes levés tard ce matin.

....

3. Je me suis décidée hier. Je pars un an en Nouvelle-Zélande.

....

4. Hier, elles se sont couchées tôt. Leur avion décolle à 6 h.

....

5. Tu t'es endormie devant la télévision ?

....

> **PASSÉ COMPOSÉ**
>
> Pronominals verbs are conjugated with the verb **être**, the past participle agrees in gender and number with the subject.
> > **Elle** s'est la**vée**.
> > (= She washed her hands.)
> > **Ils** se sont prépar**és** pour le voyage.
> > (= They prepared for the trip.)

DEPUIS / IL Y A

- **Depuis** describes an action which started in the past and continues in the present time. It is often used with verbs in the present. In English, we can use **since** (+ date or moment in time) or **for** (= duration).
  *Je suis marié **depuis** 1996.* (= I have been married **since** 1996.)
  *Ce magasin est ouvert **depuis** un mois.* (= This store has been open **for** a month.)
  ***Depuis** l'été, il ne veut pas conduire.* (= **Since** the summer, he does not want to drive.)

- **Il y a** describes an action which took place and was completed in the past. It is often used with the *passé composé*. It is translated by **ago**.
  *Je l'ai vu **il y a** deux jours.* (= I saw him two days **ago**.)
  *J'ai rencontré Nicolas **il y a** cinq minutes.* (= I met Nicolas five minutes **ago**.)

13. Fill in blanks with *depuis* or *il y a*.

1. Sarah habite à Paris .... deux ans, dans le quartier Latin.

2. Julien a acheté une nouvelle voiture .... un mois.

3. .... trois ans, Nicolas et Stéphanie sont partis en vacances en Thaïlande.

4. Yoann est toujours en retard, on l'attend .... deux heures.

5. .... six mois, Sophie a rencontré Marc à son cours de yoga.

6. Mes parents ont vendu cet appartement .... cinq ans.

7. Les enfants font la sieste .... deux heures. Allons les réveiller !

8. Je me souviens de toi, on s'est parlé en cours de français .... un mois.

14. Circle the right answers.

> **1.** J'ai passé un entretien **il y a / depuis** seulement deux semaines et l'équipe m'a tout de suite aimé !
> **Il y a / Depuis** dix jours, je suis arrivé dans les locaux et, avec ma supérieure, nous avons défini mes objectifs de travail. **Il y a / Depuis** hier, je travaille sur un projet pour la Formule 1 : c'est passionnant ! *Timothé, 27 ans, ingénieur en construction automobile*

> **2.** **Il y a / Depuis** cinq ans, je collabore avec le directeur d'un département de mon entreprise.
> **Il y a / Depuis** que je suis dans ce laboratoire, je progresse beaucoup professionnellement : je découvre quelque chose de nouveau chaque jour ! **Il y a / Depuis** une semaine, j'ai appris à organiser des réunions avec l'étranger. J'espère rester longtemps dans cette entreprise.
> *Sophie, 48 ans, assistante de direction dans un laboratoire pharmaceutique*

PHONÉTIQUE

15. Listen to these verbs in the *présent* and in the *passé composé*. Which tense do you hear first? Write the numbers.

PISTE 25

faire	☐ *présent*	☐ *passé composé*
dire	☐ *présent*	☐ *passé composé*
choisir	☐ *présent*	☐ *passé composé*
finir	☐ *présent*	☐ *passé composé*
réunir	☐ *présent*	☐ *passé composé*

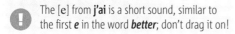

JE AND J'AI

When you pronounce the [ə] sound as in **je**, your mouth has a round shape.
To pronounce the [e] sound as in **j'ai**, open your mouth a bit wider and drop your jaw.

! The [e] from **j'ai** is a short sound, similar to the first *e* in the word **better**; don't drag it on!

16. Listen to the sentences and add an *accent aigu* when you hear the sound [e] of the *passé composé*.

PISTE 26

1. travailler : travaill**e**
2. créer : cré**e**
3. aider : aid**e**
4. commencer : commenc**e**
5. partager : partag**e**

PRESENT OR PAST

In the present, the last *e* is silent. You only hear the last consonant.
In the past, the last *e* needs an accent: it becomes the [e] sound, as in **thé**.

17. Do you hear *ils sont* [s] or *ils ont* [z]? Fill in the table.

PISTE 27

	ILS SONT	ILS ONT
1.		
2.		
3.		
4.		
5.		

18. Listen to this conversation and mark the *liaisons* using ‿.

PISTE 28

- Quand est-ce que tu as fait du bénévolat en Asie du Sud-Est ?
- En 2014. J'y suis allé avec des amis enthousiastes.
- Comment avez-vous aidé les gens sur place ?
- Moi, j'ai enseigné et mes copains ont construit une nouvelle salle de classe.

19. Underline the past participle in the sentences below. Then, listen to the audio and fill in the table.

PISTE 29

			=	≠
Il est allé	Elle est allée		
Il ne s'est pas lavé	Elle ne s'est pas lavée		
Elle est descendue	Elles sont descendues		
Il est inscrit	Elles sont inscrites		
Il n'est pas mort	Elle n'est pas morte		

HORAIRES ET VIE QUOTIDIENNE

Dans les administrations

En France, les horaires d'ouverture et de fermeture des administrations et des institutions peuvent varier. Par exemple, les banques ouvrent de 8 h 30 à 12 h et de 13 h 30 à 17 h 30, avec une pause déjeuner. Dans les grandes villes, il n'y a pas de fermeture à midi. Le samedi, elles sont également ouvertes le matin.

Pour les démarches administratives, les bureaux sont ouverts de 8 h 30 à 12 h 30 et de 13 h 30 à 16 h. Il est rare de voir des administrations ouvertes entre 12 h et 14 h.

Et les magasins

Et les grands magasins ? Les célèbres Galeries Lafayette, par exemple, ouvrent de 9 h à 19 h 30 ou 20 h, selon les villes. Les grands supermarchés français comme Carrefour ou Auchan sont ouverts jusqu'à 22 h. Les petites boutiques ferment souvent plus tôt, vers 18 h 30 ou 19 h. Les magasins sont fermés le dimanche et le lundi il n'est pas rare que les petits commerçants ferment aussi.

Vous avez oublié d'acheter du lait ? Pas de problème, il y a beaucoup de petits commerces de quartier qui ouvrent jusqu'à 23 h et plus ! Le Monoprix, supermarché qui se trouve au cœur des villes (appelé Monop'), ouvre jusqu'à 21 h et, dans certains cas, le dimanche.

Les horaires de la vie quotidienne

Les Français arrivent au travail entre 8 h et 9 h le matin et terminent le soir entre 17 h et 18 h 30. Les Français prennent leur pause déjeuner entre 12 h et 14 h. Ils préfèrent faire une pause très courte le midi pour ensuite sortir plus tôt, le soir. Certains rentrent chez eux pour déjeuner le midi, mais c'est assez rare dans les grandes villes. Le soir, ils dînent vers 19 h 30 ou 20 h et souvent chez eux en famille. Le week-end, ils prennent du temps pour le déjeuner du midi en famille ou avec des amis. Les moments consacrés aux repas sont très importants !

Les vacances et les jours fériés

Les Français ont 5 semaines de congés payés minimum et travaillent entre 35 h et 39 h par semaine. Dans certaines entreprises, il y a plus de jours de vacances. Le mois de mai est celui où il y a le moins de jours travaillés. Il y a au moins 4 jours fériés et, en fonction du calendrier, il peut y avoir des ponts (si un jour férié est un mardi ou un jeudi, certaines entreprises ferment le lundi ou le vendredi). Pourtant, les Français sont parmi les travailleurs les plus productifs d'Europe.

À l'école

À l'école primaire, les enfants rentrent à 8 h 30 et terminent à 16 h 30. Ils ont une pause déjeuner entre 11 h 30 et 14 h. Les jeunes enfants prennent souvent un goûter quand ils sortent de l'école. C'est une pause sucrée souvent composée de pain, d'un morceau de chocolat et d'un fruit. Le mercredi, les écoliers ont l'après-midi libre. Ils font souvent des activités sportives ou culturelles. Au collège et au lycée, l'emploi du temps est fixé par chaque établissement. Les élèves ont 5 périodes de vacances (en octobre, décembre, février, avril et juillet/août) donc des vacances toutes les 6 à 8 semaines.

Les musées

Les musées en France ouvrent de 10 h à 18 h environ. Ils ont tous au moins un jour de fermeture dans la semaine, donc pensez à regarder les horaires avant d'organiser vos visites ! Le musée d'Orsay, par exemple est fermé le lundi et le musée du Louvre le mardi.

Read the riddles and guess what it is.

1. Ils ouvrent toute la journée sans interruption... ....
2. En semaine, elles ouvrent le matin et l'après-midi. Le week-end, elles ouvrent le samedi matin... ....
3. Le soir, elles ferment à 19 h... ....
4. Il se prend entre 12 h et 14 h. ....
5. Ils commencent à 8 h 30 et ils finissent à 16 h 30. ....
6. Ils peuvent fermer le mardi. ....
7. On peut y acheter des aliments jusqu'à 23 h. ....

LEXIQUE

1. Circle the odd one out.

1. une veste   un t-shirt   un portefeuille
2. un jean   un short   une écharpe
3. de la crème solaire   des gants   un appareil photo
4. des sandales   des baskets   un bonnet
5. un chapeau   une ceinture   une robe

2. Match the items of each column.

sac   •   • talons
lunettes   •   • dos
chaussures •   à   • bain
maillot   •   de   • toilette
trousse   •   • rayures
t-shirt   •   • soleil

> **CLOTHES**
>
> Sometimes in French, they use English words to talk about clothes:
> *un jean (m. s.) des jeans (m. pl.)* (= jeans)
> *des baskets* (= trainers)
> *un t-shirt* (= a t-shirt)
>
> **!** In French you only use **shopping** when talking about clothes. When talking about buying food they use the expression **faire les courses**.
> *Je vais faire du shopping.* (= I'll go shopping.)
> *Je fais les courses.* (= I'm doing some shopping.)

3. In which of the shops below can you buy these products? Add any others you may know to the list.

sac - robe - roses - livre - parfum - veste

revue - maquillage - savon de marseille - gâteaux

MAGASIN DE VÊTEMENTS	
FLEURISTE	
PARFUMERIE	
LIBRAIRIE	
SUPERMARCHÉ	

4. Fill in the blanks with the verb *être* conjugated or *il fait*.

1. Oh non ! Elle a mis le pain dans le frigo et maintenant la baguette ...... froide !
2. À Tahiti, ... entre 26° C et 30° C toute l'année.
3. .... très beau aujourd'hui !
4. ...... froid dans la maison, mes pieds .... glacés !
5. Au Mali, en été, ... une chaleur d'enfer.
6. Attention, ... très chaud ! Tu vas te brûler.

> **ÊTRE OR IL FAIT**
>
> To talk about a place's temperature we use: **il fait**.
> *Il fait super froid ce matin !* (= It is freezing this morning.)
>
> We use the verb **être** to talk about the temperature of things you can touch.
> *Le plat est très chaud.* (= The dish is very hot.)

5. Complete the weather report with the appropriate words.

pleut - températures (x2) - neige - beau temps - froid - frais - chaud

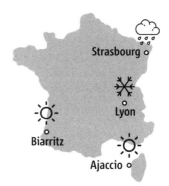

- À Strasbourg, il .... Le temps est ....
  pour la saison.
- En Corse, à Ajaccio, c'est l'été !
  Il fait très .... avec des .... de 20 degrés
  le matin et de 25 degrés dans l'après-midi.
- À Lyon, il .... Attention, il fait très ....
- Biarritz. Très .... pour toute la journée.
  Les .... sont de 15 degrés le matin et de 20
  l'après-midi.

Strasbourg

Lyon

Biarritz

Ajaccio

SEASONS AND MONTHS

- To translate "*in* + season", we use **en** in front of **été**, **automne**, **hiver**.
  En hiver, il gèle parfois. (= In the winter, it sometimes freezes.)

  ! We use **au** in front of **printemps**.
  Au printemps, les arbres commencent à fleurir. (= In the spring, trees start to blossom.)

- To translate a season not preceded by *in* in English, we use definite article **le** or **l'** in front of the season.
  L'hiver arrive. (= Winter is coming.)

- To translate "*in* + month", we use **en** in front of the month.
  Je suis né en mars. (= I was born in March.)

---

6. Classify the months in the table below.

avril - juin - décembre - janvier

mars - juillet - août - novembre

mai - octobre - février - septembre

PRINTEMPS	
ÉTÉ	
AUTOMNE	
HIVER	

7. Complete the dialogues with *en, au, le* or *l'.*

1. • J'adore voyager .... été.
   ◦ Ah, oui ? Pas moi, ... été... j'ai trop chaud !

2. • Quelle est ta saison préférée ?
   ◦ .... printemps. J'adore.

3. • .... hiver je ne peux pas sortir de chez
   moi ! Je déteste le froid.
   ◦ Moi, ... hiver, je fais beaucoup de sport.
   Et je voyage !
   • C'est une bonne idée, mais moi, je préfère
   voyager .... été !

4. • Gaëlle !! Je me marie avec Nicolas en avril !
   ◦ Félicitations !! .... printemps ? Super !

5. • Tu es né .... août ?
   ◦ Non, je suis née .... avril.

GRAMMAIRE

8. Complete the conversation below with the verb *vouloir* or *pouvoir* conjugated at the right tense.

Léo! Tu te souviens de la petite jupe bleue de la boutique rue Danès?
Je .... absolument l'acheter, mais je ne .... pas, elle est
super chère.   17:29 √

C'est vrai qu'elle est mignonne! Tes sœurs .... te faire un
cadeau pour ton anniv', peut-être qu'elles .... te l'offrir? 17:32 √

Julie .... m'offrir un sac et avec Sarah, nous .... aller voir
le concert de Stromae et elle m'offre la place!   17:34 √

Tu .... demander à ton copain?
Après tout, 30 ans, c'est une grande occasion.   17:35 √

Il ne .... pas! Il préfère m'offrir une bague!   17:37 √

Tu .... demander à tes parents.   17:38 √

Hmmm... Pourquoi pas?   17:39 √

9. Make adjectives agree with the noun they qualify.

1. Un foulard blanc .... et marron ....
2. Des lunettes noir ....
3. Une veste violet ....
4. Une écharpe gris ....
5. Des sandales blanc ....
6. Une robe marron .... et orange ....

> **COLOUR**

Adjectives to describe a colour agree in gender and
in number, just like regular adjectives.
   Un sac noir. (= A black bag.)
   Des robes noires. (= Black dresses.)

 Marron and **orange** are exceptions. They do
   not agree.
   Des jupes orange. (= Orange dresses.)

The gender of the colours is masculine whereas the
gender of the word **couleur** is femenine.
   le bleu, le rouge
   la couleur bleue

**10. Complete the idioms with the colours
below. Be careful to make them agree with the
noun they qualify.**

> bleu - noir - rouge - blanc - rose

1. Ah zut, je n'ai pas de monnaie, je peux payer par **carte** ....?
2. Je crois que ces employés sont ici illégalement ; je pense qu'**ils travaillent au** ....
3. On a fait la fête jusqu'à 7 h du matin, on a passé **une nuit** ....!
4. Elle est furieuse, complètement .... **de colère** !
5. Depuis qu'il sort avec elle, il est sur un petit nuage, **il voit la vie en** ....!

11. Translate the sentences above into English.

12. Adapt your speech register! Suggest two other ways of asking the same questions.

1. Est-ce qu'ils prennent les cartes bleues ? *Ils prennent les cartes bleues ? Prennent-ils les cartes bleues ?*

2. Y a-t-il une réduction sur l'ancienne collection ? ....

3. Vous préférez des ballerines ou des sandales ? ....

13. Find the questions by reading the answers.

1. • ....
   ○ Oui, je fais du sport tous les jours. *(courant)*

2. • ....
   ○ Non, Cécile ne part pas en Inde cette année. *(soutenu)*

3. • ....
   ○ Oui, nous travaillons chez Auchan. *(familier)*

4. • ....
   ○ Oui, il a rendez-vous à la banque. *(soutenu)*

5. • ....
   ○ Non, en été je vais au Brésil. *(courant)*

6. • ....
   ○ Non, elle parle anglais. *(soutenu)*

> **!** In the **registre soutenu**, when the verb is ends with a vowel and the subject begins with a vowel, we add the letter **-t**. *Désirez-vous un café ? Cherche-**t**-elle un nouvel appartement ?*

THE PRONOUN *ON*

The pronoun **on** can mean either:
- **we**: it is a more casual way to say **nous**.
  Nous allons acheter un livre à la librairie. (= We are going to the bookshop to buy a book.)
  On va acheter un livre à la librairie. (= We are going to the bookshop to buy a book.)
- **people**, **one**: to make a generalisation.
  En France, les gens offrent souvent des fleurs. (= In France, people often offer flowers.)

In both cases, **on** agrees with the 3rd person singular.

14. Replace *on* by *les gens* or by *nous*. Be careful, the verb has to agree.

1. On dit que, quand il fait beau à Noël, il neige à Pâques.

....

2. Samedi dernier, **on** a regardé le dernier film de Xavier Dolan.

....

3. Avec mon père, **on** fait toujours les soldes en janvier.

....

4. À Montréal, quand il fait – 20° C, **on** reste à l'intérieur.

....

5. En hiver, en Suisse, **on** peut faire du ski alpin.

....

15. Read the sentences below and say to what *où* refers to.

1. J'ai acheté ces gants le jour **où** nous avons fait les magasins ensemble.

2. C'est la boutique **où** on peut acheter des vêtements d'occasion.

3. C'est au moment **où** il a essayé le pull qu'il a perdu son portefeuille.

- **Où** can refer to: ☐ a place ☐ a moment ☐ both
- Which words would you use in English to translate the relative pronoun **où**? .... or ....

> **!** In French, even when referring to a moment, you would never use **quand**: **où** is your only option.
> *Le 7 juin, c'est le jour où nous nous sommes fiancés.* (= June 7th is the day when we got engaged.)

16. Transform these sentences into complexe sentences using the pronoms *où*, *qui* or *que*.

1. J'ai trouvé un bonnet bien chaud dans le rayon « accessoires hiver ». Mathilde travaille dans ce rayon.

....

2. Le jour de son mariage est le plus beau jour de sa vie. Le jour de son mariage, il a dit « oui » à son âme sœur.

....

3. Les Galeries Lafayette sont un grand magasin. Elles ont des vitrines de Noël magnifiques.

....

4. J'ai trouvé la veste marron sur un marché aux puces. Ce marché aux puces est près de chez moi.

....

5. Ma sœur achète ses vêtements sur un site Internet. Sur ce site, on peut aussi acheter des chaussures.

....

6. Jodie est une amie. Je connais Jodie depuis l'école maternelle.

....

17. Complete the ad of the thalassotherapy centre of La Baule « Écoutez-vous ».

.... (prendre) du temps pour vous et .... (venir) passer un week-end exquis dans notre espace détente. .... (être) à l'écoute de votre corps et .... (mettre) fin à votre routine fatigante, vous avez besoin d'une vraie pause. Massages, bains, soins des mains et du visage : .... (reconnecter) votre corps et votre esprit grâce à nos activités bien-être. .... (faire) confiance à nos experts équilibre et harmonie qui savent guider nos invités et choisir la formule idéale pour un séjour parfait. .... (ne pas laisser) passer cette occasion, ... (s'offrir) quelques jours chez « Écoutez-vous », c'est votre corps qui le conseille.

18. Transform these imperative sentences into negative sentences.

1. Réveillez-vous quand le soleil se lève. *Ne vous réveillez pas quand le soleil se lève.*

2. Offre-toi cette robe que tu veux depuis longtemps. ....

3. Dépêchons-nous ! ....

4. Regardez-vous dans le miroir de la cabine d'essayage. ....

PHONÉTIQUE

19. Listen to the audio. What sound do you hear [i], [y] or [u]?

	[i] comme mini	[y] comme jupe	[u] comme rouge
1.			
2.			
3.			
4.			
5.			
6.			

20. Listen to these words. Are the pronounciation and the spelling the same in English?

1. Short ☐ prononciation ☐ orthographe
2. Pull ☐ prononciation ☐ orthographe
3. Jean ☐ prononciation ☐ orthographe
4. T-shirt ☐ prononciation ☐ orthographe

In French:
- **Pull** is pronounced with the same sound as in: jupe ☐ rouge ☐
- **Jeans** and **shorts** lose the letter and the sounds:
....

 21. Listen to these sentences. When you hear the sound [y], underline the syllable. When you hear the sound [u], circle the syllable.

PISTE 32

1. Quoi ? Il a huit ceintures rouges ?
2. Pour Noël, je voudrais des lunettes et des chaussures.
3. En juillet-août, je porte toujours des minijupes.
4. Emporte un pull et un parapluie, au cas où !

22. Listen closely to these imperative sentences and indicate if the intonation implies it is an order or a suggestion. Write O for order and S for suggestion.

PISTE 33

1. Emporte une paire de gants. ....
2. Ma chérie, mets un pull chaud ! ....
3. N'oublie pas ta cravate ! ....
4. Inscris-toi à la nouvelle salle de sport. ....

23. Listen to the audio and tick the right answer.

PISTE 34

1. ☐ masculin ☐ féminin
2. ☐ masculin ☐ féminin
3. ☐ masculin ☐ féminin
4. ☐ masculin ☐ féminin
5. ☐ masculin ☐ féminin
6. ☐ masculin ☐ féminin
7. ☐ masculin ☐ féminin

THE SOUND [y]

The [y] sound as in **jupe** does not exist in English. How can you pronounce it? Say [i]: your tongue is at the front of your mouth and your lips are stretched as if you were smiling. Without moving your tongue, keep saying [i] but bring your lips together in a round shape as if you were whistling.

LEXIQUE

1. Classify the food in the chart below.

tomate - lentille - fromage de chèvre - concombre - saumon - crevette - riz - pâtes - champignon - moule - pomme de terre - jambon - poulet - eau gazeuse - café

FRUITS ET LÉGUMES	VIANDES	PRODUITS DE LA MER	FÉCULENTS	PRODUITS LAITIERS	BOISSON

2. Choose the right article *le, la, les* or *l'*.

1. .... tomate
2. .... orange
3. .... pommes de terre
4. .... avocat

5. .... ananas
6. .... frites
7. .... œuf
8. .... citron

9. .... eau
10. .... café
11. .... huile
12. .... légumes

3. Fill in the menu with the dishes below.

une île flottante - un plateau de fromage - des paupiettes de veau - une soupe à l'oignon
une crêpe au sucre - un cassoulet - une entrecôte avec des frites - une assiette de charcuterie
une salade de fruits - du foie gras sur des blinis - une tartiflette - une tarte tatin

AU PETIT BOUCHON

TABLE Nº **7** COUVERTS **2**

ENTRÉE

PLAT PRINCIPAL

DESSERT

! **Une entrée** is a small dish you may eat before the main course. It doesn't constitute a meal, therefore it is different from the English word ***entree***.
If you order nothing but **une entrée** in a French-speaking country, you'll still be hungry when leaving the table!

4. **Complete the recipe.**

grammes de (x2) - bouteille de - pot de - tranche(s) de - pincée de - centilitre de

La quiche lorraine de Claire

Une vraie quiche, pour moi, c'est une quiche lorraine !

J'achète 200 ...... pâte brisée. Je coupe 8 ...... jambon en petits morceaux et je les mets dans un grand saladier. Dans un bol, je casse 4 œufs, j'ajoute un petit ...... crème fraîche, 20 ...... lait et 200 ...... de fromage Comté.

Je mélange le tout, j'ajoute une ...... sel et je verse le mélange sur la pâte, dans un moule à quiche, et hop, au four ! Avec une ...... vin blanc en accompagnement, vous allez vous régaler.

5. **Read this grocery list and correct the mistakes.**

– 10 pots de chocolat noir   ....
– un litre de chips   ....
– deux boîtes de yaourt   ....
– 10 grammes de lait   ....
– une tablette de sucre   ....
– un paquet de maïs   ....

QUANTITIES

- **Liquids**
  1 UK pint = 570 ml = 20 Fl. oz. = 4 cups
  1 gallon = 3,8 litres
- **Dry goods**
  1 kg = 1 000 g = 2.2 lb
  one cup flour = 5oz = 140 g

6. **Translate these sentences into French.**

1. I had scrambled eggs on toast for breakfast.

....
....

2. Which dessert are you going to have?

....
....

3. I have many herbs and spices in my kitchen.

....
....

4. For her birthday dinner at her favourite restaurant, my sister had the "special menu".

....
....

TO HAVE SOME FOOD

- In French, you can only use **avoir** with food when you are talking about possession.
  J'ai une pomme dans mon sac à dos. (= I have a green apple in my backpack.)

- If you wish to talk about what you had to eat, you must use the verb **manger.**
  On a mangé des crevettes en entrée. (= We had some shrimps for starters.)

- If you wish to talk about what you ordered or are going to order, you must use the verb **prendre**.
  Je vais prendre la ratatouille. (= I'm going to have the ratatouille.)

GRAMMAIRE

PARTITIVE ARTICLE

To express **some** or **Ø**, we use **du**, **de la**, **de l'** and **des**:

*Je voudrais **du** thé.* (= I want some tea.)
*Je mets **de la** confiture sur ma tartine.* (= I put jam on my toast.)
*Je veux **de l'**eau.* (= I want some water.)
*Tu manges **des** tartines ?* (= Are you having some toast?)

! After a negation (**pas**, **plus**, **jamais**) the article is always **de / d'** whether what follows is masculine, feminine or plural.
En France, on ne mange pas de Marmite. (= In France, we don't eat Marmite.)
Ne prends pas d'oranges ! (= Don't take oranges.)

7. **Do you know the habits of French people? Fill in the blanks with *du, de la, de l'* or *des* and tick an answer.**

- Le matin, 86 % des enfants français mangent : .... céréales ☐ .... crêpes au sucre ☐
- Pour bien commencer la journée, 59 % adultes mangent : .... tartines de pain ☐
  .... œufs brouillés ☐
- Au petit déjeuner, les adultes boivent en général : .... café ☐ .... du thé ☐ .... eau ☐
- Quand on se fait des tartines, que met-on dessus ? .... confiture ☐ .... beurre de cacahuètes ☐
  .... Marmite ☐ .... Vegemite ☐

8. **Make positive sentences.**

1. Ils ne mangent pas de fruits. ....

2. Vous ne voulez pas de viande ? ....

3. Tu ne veux pas d'huile dans ta salade ? ....

4. Elle ne met pas de beurre sur ses tartines. ....

9. **Complete the dialogue with *de* or *le*.**

1. • Maman, j'ai trop .... légumes dans mon assiette. Je n'ai plus faim.
○ D'accord !

2. • Alors, une salade montagnarde ?
○ Oui, mais sans jambon. Je n'aime pas .... jambon.

3. • Qu'est-ce que vous désirez ?
○ Il n'y a pas .... boissons dans ce menu ?
• Non, monsieur, juste plat et dessert.

4. • Dans ce plat, il n'y a pas .... viande, non ?
Parce que je suis végétarien...
○ Non juste des légumes.

5. • Tu n'aime pas .... vin rouge ?
○ Si, il est très bon. Mais j'ai trop .... vin dans mon verre...

10. Choose the right article.

Quelles sont vos habitudes alimentaires ?

> En semaine, je n'ai pas trop de temps, alors, pour le petit déjeuner c'est juste **un/du** café et le week-end, **du/un** bon pain frais, **des/du** céréales bio avec **du/un** lait.

Et pour le déjeuner ?

> À midi, j'ai peu de temps, donc je mange **un/du** sandwich, avec **un/du** yaourt et **un/des** fruit. Le week-end, je prends le temps de cuisiner **de la/du** viande ou **du/un** poisson avec des légumes.

Et pour dîner ?

> Je ne mange pas beaucoup le soir, en semaine comme le week-end. J'aime bien préparer **une/de la** salade avec **des/du** tomate, et, **de l'/une** huile d'olive. En hiver, c'est plutôt **une/de la** soupe de légumes. Je bois un litre **d'/de l'** eau par jour et le soir, si je sors avec des amis, je prends **du/un** vin.

THE *COD* PRONOUNS

While in English you use *it* or *them* to avoid repeating the object, in French you have to choose between **le**, **l'**, **la**, or **les**.

- Just find out whether what *it* refers to is masculine (**le**) or feminine (**la**). In front of a vowel, they become **l'**.

  *J'ai acheté du pain et je **l'**ai mangé.* (= I bought bread and ate it.) / **masculine**

  *Ma tarte aux pommes ? Je **la** fais toujours le dimanche.* (= My apple pie? I always bake it on Sundays.) / **feminine**

- ***Them*** refers to a plural and is always translated by **les**.

  *Je fais des quiches et je **les** partage.* (= I cook quiches and I share them.) / **plural**

11. Choose the *COD* according to the pronoun.

1. Je **la** mange avec le fromage.
   salade verte   pain

1. Elle **la** met au four pendant 20 minutes.
   tarte aux pommes   riz

2. Je **l'**utilise pour décorer mes gâteaux.
   chantilly   eau

3. Je **les** aime pochés et au petit déjeuner.
   fruits   œufs

4. Il **le** prend avec du sucre et du lait.
   café   chocolat

5. En France, on **l'**appelle la galette.
   crêpe salée   gâteau

12. Read these testimonials and complete with the *COD* pronouns *le, la, l'* ou *les*.

Le matin, je mange toujours des œufs brouillés. Mon secret, c'est qu'avant de mettre les œufs dans la poêle, je .... casse dans un bol et je .... mélange avec un peu de lait et une pincée de sel. Je coupe un petit morceau de beurre salé et je .... fais chauffer dans une casserole. Ensuite, je prends le mélange et je .... verse dans la casserole très chaude.
Essayez ! **Rachida, 25 ans, Toulon.**

Quand je mange des œufs sur le plat, j'ai l'impression de redevenir enfant. Je ...... fais comme ma mère : je prends un peu d'huile d'olive, je ...... verse dans la poêle et quand c'est bien chaud, je casse les œufs dedans et je ...... fais frire quelques minutes seulement. Simple mais efficace !
Morgane, 37 ans, Rodez

13. Complete the sentences with adverbs of quantity.

un peu de - assez d' - beaucoup de
trop d' - trop de - peu de

1. Paul a mangé .... viande.
2. Paul na pas bu .... eau.
3. Paul a mangé .... légumes.
4. Paul a mangé .... frites.
5. Paul a mangé .... oranges.
6. Paul a mis .... sucre dans son café.

THE PERSONAL OBLIGATION

Devoir and **il faut** translate both *to have to* and *must*; in French, you cannot tell whether the obligation is self-imposed or is not.

You use **devoir** if you are talking about what a specific person has to do. It agrees with its subject.
Tu dois finir ton assiette. (= You must finish what's on your plate.)
(= You have to finish what's on your plate.)

You use **falloir** if you are talking about what people in general should do or about what they cannot do. It is conjugated only to the 3rd person singular.
Il faut manger ! (= You have to eat!)

14. Complete these sentences with *devoir* conjugated to the right person or *il faut*.

Les garçons, nous allons finir tard ce soir et nous .... passer voir mamie avant de rentrer ! Grégoire, tu .... accompagner ton frère à son cours de judo et .... dire à son professeur que, la semaine prochaine, il est absent. Simon, tu .... écouter ton frère. Les voisins .... venir vers 18h pour vous garder. .... être gentil avec eux d'accord ?
Gros bisous à tous les deux !!

20:10 √

15. Conjugate the verbs in the *futur proche*.

Fini le moment où vous cherchez de la monnaie pour laisser un pourboire ? Finies les petites discussions avec le serveur ? Peut-être ! Bientôt, grâce à une nouvelle application, nous .... (commander) notre tasse de thé avant d'être au café. En effet, ce système américain .... (arriver) en France : comme aux États-Unis, nous ..... (pouvoir) lire la carte sur notre téléphone, cliquer sur « commander » et aller chercher notre boisson quelques minutes plus tard. Avec cette application, les clients ...... (payer) en ligne, en un seul clic. Vous .... (ne pas faire) la queue, vous .... (ne pas risquer) de laisser vos affaires sans surveillance si vous êtes déjà dans le café, assis loin du comptoir : rapidité et sécurité garanties. Les cafés .... (perdre) de leur charme ?

THE *FUTUR PROCHE*

In French, we use the **futur proche** to talk about something certain, which is going to happen in the near future. We use the verb **aller** + an infinitive verb.
On va partir en vacances.
Je vais me marier !

16. Conjugate the verbs in the *présent* or in the *futur proche*.

1. Tous les jours, je .... (lire) le journal avant de partir au travail.
2. Le lundi, nous .... (aller) à la salle de sport pour notre cours de yoga.
3. On .... (se marier) la semaine prochaine !
4. Vous .... (arriver) en retard. Dépêchez-vous !
5. Nous .... (se lever) tous les matins à 7 h.

PHONÉTIQUE

17. Circle the words you hear.

5

gaufre - bon - crêpe - croissant

financier - bonne - éclair - pain - tarte

fondant - macaron - meringue - glace

spéculoos

NASAL VOWELS

All the words you've just heard contain a nasal vowel. Why nasal? Because when you pronounce them, you let the air escape not only from your mouth (as you do for oral vowels) but also from your nose (hence 'nasal').

They each have an oral equivalent which you can already pronounce.

a → an   i → in   o → on

To go from the oral to the nasal vowel, pronounce the oral vowel and try to let the air escape from your nose by relaxing the area around your tonsils.

18. Listen to the audio and circle the word you hear.

36

1.   bain   /   bon

2.   vin   /   vont

3.   orange   /   seront

4.   sans   /   sont

5.   sain   /   son

6.   lent   /   long

7.   grand   /   grain

19. Write in each ligne the order in which you hear the sounds /ɑ̃/, /ɛ̃/, ou /ɔ̃/.

PISTE 37

	[ɑ̃]	[ɛ̃]	[ɔ̃]
1			
2			
3			
4			
5			
6			
7			

20. To get out the maze, follow the path shown by the sound /ɑ̃/ like in *flan*. You can move up, down or in diagonal.

Entrée

camembert	ingrédient	meringue	mouton
parmesan	pudding	concombre	pain
vin	endive	lapin	faim
ancien	macaron	fondant	orange
crumble	raisin	melon	framboise

Sortie

Les marchés, la boulangerie...

Le marché aux puces, la braderie, la brocante, le vide-grenier... beaucoup de mots pour une activité que les Français adorent : acheter des vêtements, des objets ou des meubles d'occasion sur une place, dans une rue, un quartier... Ils en profitent aussi pour discuter et passer un bon moment. Sur Internet, le site leboncoin.fr, avec sa devise « Vendez, achetez, près de chez vous », est le deuxième site le plus populaire en France, derrière Facebook, mais... devant Google°!

Les Français aiment bien acheter leurs produits frais au marché du village. Tous les villes ou villages français ont un jour de marché.

Une autre habitude des Français, c'est... la baguette bien sûr ! Ils l'achètent tous les jours et, le midi, il y a souvent la queue dans les boulangeries. Et le week-end, la baguette est souvent accompagnée d'un croissant ou d'un pain au chocolat pour le petit déjeuner.

Le France et le fromage

Charles de Gaulle a dit que la France avait autant de fromages que de jours dans l'année, c'est-à-dire, 365. Mais en réalité, on peut en compter plus de 1 500. En France, le fromage se mange entre le plat et le dessert, accompagné d'un peu de salade verte.

L'influence des mots français dans la cuisine...

Beaucoup de mots français du monde de la cuisine se retrouvent dans la langue anglaise.

un restaurant
un chef vinaigrette
apéritif cordon bleu crème brûlée
au gratin brioche
croissant bon appétit
mousse
amuse-bouche
entremets à la carte digestif

Un café s'il vous plaît !

En France, on boit beaucoup de café et à tout moment de la journée. Il y a différente sorte de café : café noisette, café crème, café allongé (avec un peu d'eau). Depuis quelques temps, les bars et les restaurants proposent également des « cafés gourmands ». C'est un café accompagné de petits desserts. Le café se prend souvent dans un bar avec des amis. C'est l'occasion de pouvoir discuter de différents thèmes (vie, famille, politique…) et de « refaire le monde » comme ils disent. En France, dans tous les villages, il y a au moins un café. Il est souvent situé près de l'église.

Les produits que les Français recherchent quand ils sont à l'étranger

- La baguette croustillante
- Les fromages coulants comme le camembert, le reblochon
- Les digestifs régionaux : armagnac, cognac
- Le chocolat de cuisine : bien noir pour faire des gâteaux ou des mousses au chocolat
- La moutarde
- La crème de marron
- Les gâteaux d'enfance comme les madeleines

(source: les Echos START)

Answer the question.

1. Une puce c'est :
   - un insecte ☐
   - une partie du corps ☐

2. Mais si vous allez au marché aux puces, vous pouvez acheter…
   - des vêtements ☐
   - des aliments ☐

3. Une noisette c'est :
   - un fruit ☐
   - un champignon ☐

4. Mais si vous demandez une noisette dans un bar on va vous donner…
   - un café ☐
   - un dessert ☐

COMPLEMENTARY WORKBOOK
FOR ENGLISH-SPEAKING STUDENTS

AUTHORS
Charlotte Jade, Anne Kerrien, Lucie Rivet

EDITORIAL COORDINATION
Isabelle Breton, Estelle Foullon

PEDAGOGICAL ADVICE
Hedwige Meyer

CORRECTOR
Anne Andrault

DESIGN
Guillermo Berajano

LAYOUT
Ana Varela

ILLUSTRATIONS
Alejandro Milà

COVER
Luis Lujan

PHOTOS

Couverture : webphotographeer ; Eugenio Marongiu ; pawel.gaul ; Alija ; Tony Tremblay ; Jonathan Stutz ; Alija ; topdeq ; MichaelUtech ; Eugenio Marongiu ; Ekaterina Pokrovsky ; García Ortega
Unité 1 : pixelfit/Istockphoto.com **Unité 2** : monkeybusinessimages/Istockphoto.com ; dolgachov/Istockphoto.com **Culture 1-2** : Wikipedia/Domaine public, Lefalher/Wikipedia ; Flckr **Unité 3** : txakel/Fotolia.com ; Mellow10/Fotolia.com ; david_franklin ; pawel. gaul/istockphoto ; Scullery/Dreamstime.com ; albinhillert/Fotolia.com ; tomcrown/Fotolia.com ; lulu/Fotolia.com ; **Unité 4** : Peter Atkins/Fotolia.com ; goodluz/Fotolia.com ; Rostislav Sedlacek/Fotolia.com ; Monkey Business/Fotolia.com ; sebra/Fotolia.com ; DigiClack/Fotolia.com ; kegfire/Fotolia.com ; sepy/Fotolia.com ; sylv1rob1/Fotolia.com ; mathiaswilson/Istockphoto.com ; **Culture 3-4** : nickylarson974/Fotolia.com ; benedek/Istockphoto.com ; toddtaulman/Istockphoto.com ; Flickr.com **Unité 5** : XL1200/Istockphoto. com ; Eugenio Marongiu/Fotolia.com ; camrocker/Adobe stock.com ; camrocker/ Adobe stock.com ; AleksandarNakic/Istockphoto.com ; g-stockstudio/Istockphoto.com ; nd3000/Fotolia.com ; Stocked House Studio ; Picture-Factory/Fotolia.com ; OcusFocus/Istockphoto. com ; PeopleImages/Istockphoto.com **Unité 6** : TTstudio/Adobe stock.com ; Georges Biard /Wikipedia Commons **Culture 5-6 :** tupungato/Istockphoto.com ; hedge-paris/Istockphoto.com ; jeangill/Istockphoto.com ; TomasSereda/ Istockphoto.com **Unité 7** : Angel Simon/Adobe Stock.com **Unité 8** : ld1976/Adobe Stock.com ; danimages/Adobe Stock.com ; Fischer Food Design/Adobe Stock. com ; robcartorres/Adobe Stock.com ; andriano_cz/Adobe Stock.com ; M.studio/Adobe Stock.com ; Evgeny/Adobe Stock.com **Culture 7-8 :** Viktor/Fotolia.com ; fotoember/Fotolia.com ; andriano_cz ; Christian Mueller/ Istockphoto.com ; Richard Villalon/Adobe Stock. com ; rdnzl/Adobe Stock.com ; DURIS Guillaume/Adobe Stock.com ; Richard Villalon/Adobe Stock.com ; larips/Adobe Stock.com ; Claude Calcagno/ Adobe Stock.com ; Brad Pict/ Adobe Stock.com

© Difusión, Centre de Recherche et de Publications de Langues, S.L., 2018

ISBN : 978-84-16273-57-7

Imprimé dans l'UE

www.emdl.fr/fle